#시험대비
#핵심정복

**7일 끝
중간고사
기말고사**

Chunjae
Makes
Chunjae

▼

저자	최용준, 해법수학연구회
제작	황성진, 조규영

발행일	2021년 3월 15일 초판 2021년 3월 15일 1쇄
발행인	㈜천재교육
주소	서울시 금천구 가산로9길 54
신고번호	제2001-000018호
고객센터	1577-0902
교재 내용문의	(02)3282-8852

7일 끝으로 끝내자!

중학 수학 3-1

BOOK 1
중 간 고 사 대 비

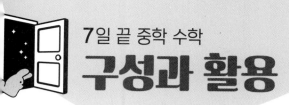

7일 끝 중학 수학
구성과 활용

생각 열기

공부할 내용을 만화로 가볍게 살펴보며 학습을 준비해 보세요.

❶ 공부할 내용을 살피며 핵심 학습 요소를 확인해 보세요.

❷ 이것만은 꼭꼭!을 통해 실수하기 쉬운 개념을 짚어 보세요.

교과서 **핵심 정리** + 시험지 속 개념 문제

꼭 알아야 할 교과서 핵심 내용을 익히고 시험지 속 개념 문제를 풀며 제대로 이해했는지 확인해 보세요.

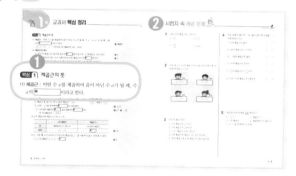

❶ 빈칸을 채우며 교과서 핵심 내용을 다시 한번 확인해 보세요.

❷ 교과서 핵심과 관련된 시험지 속 개념 문제를 풀며 공부한 내용을 확인해 보세요.

교과서 **기출 베스트** 1회, 2회

다양한 유형의 문제를 풀어 보며 공부한 내용을 점검해 보세요.

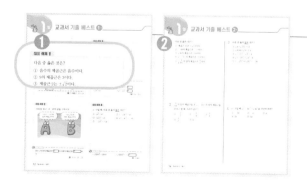

❶ 교과서 기출 베스트 1회에서는 대표 예제 문제를 풀며 시험에 자주 나오는 문제를 확인해 보세요.

❷ 교과서 기출 베스트 1회와 쌍둥이 문제로 구성된 교과서 기출 베스트 2회를 한번 더 풀면서 실력을 다져 보세요.

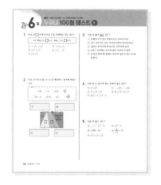

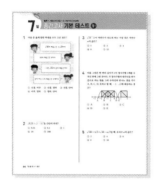

누구나 100점 테스트
1회, 2회

앞에서 공부한 개념을 이해 했는지 문제를 풀어 점검해 보세요.

서술형·사고력 테스트

서술형·사고력 문제를 집중 적으로 풀며 서술형·사고력 문제에 대한 적응력을 높여 보세요.

창의·융합·코딩 테스트

앞에서 공부한 개념이 어떻 게 이용되는지 알고 문제 해 결력을 키워 보세요.

중간고사 기본 테스트
1회, 2회

시험 문제에 가까운 예상 문 제를 풀며 실전에 대비해 보 세요.

틈틈이·짬짬이 공부하기

핵심 정리 총집합 카드를 휴대 하며 이동하는 중이나 시험 직 전에 활용해 보세요.

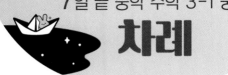

7일 끝 중학 수학 3-1 중간

차례

제곱근의 성질

$\sqrt{}$ 와 제곱이 만나면 둘 다 사라져!

― 가 제곱을 만나면 양수가 돼!

제곱근의 성질은 시험에 꼭 나와!

$(\sqrt{2})^2 = 2$

$(-\sqrt{2})^2 = 2$

$\sqrt{2^2} = 2$

$\sqrt{(-2)^2} = 2$

$a > 0$일 때
$(\sqrt{a})^2 = a$, $(-\sqrt{a})^2 = a$
$\sqrt{a^2} = a$, $\sqrt{(-a)^2} = a$

근호가 없는 수를 근호가 있는 수로 바꾼 후 대소를 비교할 수 있어.

$2 = \sqrt{4}$이고 $3 < 4$이므로
$\sqrt{3} < \sqrt{4}$

$\sqrt{3}$ ❮ 2

이것만은 꼭꼭!

1. $a > 0$일 때, a의 제곱근은 제곱하여 a가 되는 수이므로 [❶] 이고, 제곱근 a는 a의 양의 제곱근이므로 [❷] 이다.

2. $a > 0$일 때
   (1) $(\sqrt{a})^2 =$ [❸], $(-\sqrt{a})^2 =$ [❹]   (2) $\sqrt{a^2} =$ [❺], $\sqrt{(-a)^2} =$ [❻]

3. $a > 0$, $b > 0$일 때, $a < b$이면 $\sqrt{a}$ [❼] $\sqrt{b}$

답 ❶ $\pm\sqrt{a}$ ❷ $\sqrt{a}$ ❸ a ❹ a ❺ a ❻ a ❼ $<$

1일 교과서 핵심 정리

핵심 1 제곱근의 뜻

(1) **제곱근** : 어떤 수 x를 제곱하여 음이 아닌 수 a가 될 때, 즉 $x^2 = a\,(a \geq 0)$일 때, x를 a의 **❶** 　　　　 이라고 한다.

　　[예] $3^2 = 9$, $(-3)^2 = 9$이므로 9의 제곱근은 3과 -3이다.

(2) **제곱근의 개수**

　　① 양수의 제곱근은 양수와 음수의 **❷** 　　 개가 있으며, 그 절댓값은 서로 같다.

　　② 제곱하여 0이 되는 수는 0뿐이므로 0의 제곱근은 0의 **❸** 　　 개이다.

　　③ 제곱하여 음수가 되는 수는 없으므로 음수의 제곱근은 생각하지 않는다.

　　[예] ① 4의 제곱근은 2, -2로 2개이다.

　　　　 ② 0의 제곱근은 0으로 1개이다.

　　　　 ③ -4의 제곱근은 없다.

❶ 제곱근

❷ 2

❸ 1

핵심 2 제곱근의 표현

(1) 양수 a의 제곱근은 기호 $\sqrt{}$ 를 사용하여 나타낸다.

　　└▸ '제곱근' 또는 '루트'라고 읽는다.

　　① 제곱근 중 양수인 것 ➡ 양의 제곱근 $\sqrt{a}$

　　② 제곱근 중 음수인 것 ➡ 음의 제곱근 $-\sqrt{a}$

　　③ $\sqrt{a}$와 $-\sqrt{a}$를 한꺼번에 **❹** 　　　　 로 나타낸다.

　　[예] 2의 양의 제곱근은 **❺** 　　 , 음의 제곱근은 **❻** 　　　 이다.

　　　　 즉 2의 제곱근은 $\pm\sqrt{2}$이다.

$\sqrt{a}$ 　제곱 ➡ 　a

$-\sqrt{a}$ 　⬅ 제곱근

❹ $\pm\sqrt{a}$

❺ $\sqrt{2}$

❻ $-\sqrt{2}$

(2) a의 제곱근과 제곱근 a (단, $a > 0$)

	a의 제곱근	제곱근 a
뜻	제곱하여 a가 되는 수	a의 양의 제곱근
표현	$\sqrt{a}$, $-\sqrt{a}$	**❼**

❼ $\sqrt{a}$

(3) $a > 0$일 때, a가 (유리수)^{2}이면 a의 제곱근은 $\sqrt{}$ 를 사용하지 않고 나타낼 수 있다.

　　[예] 4의 제곱근 ➡ $\pm\sqrt{4} = \pm$ **❽** 　　

❽ 2

시험지 속 개념 문제

정답과 풀이 **74쪽**

1 다음 수의 제곱근을 구하시오.

(1) 36   (2) 121

(3) $\dfrac{16}{25}$ (4) 0.49

2 다음 중 'x는 13의 제곱근이다.'를 식으로 바르게 나타낸 학생을 고르시오.

은수 $x = \sqrt{13}$

태호 $x = 13^2$

보람 $x^2 = \sqrt{13}$

지선 $x^2 = 13$

3 다음 중 옳은 것은?

① 3의 제곱근은 $\sqrt{3}$이다.

② 7의 제곱근은 $\sqrt{49}$이다.

③ $\sqrt{5}$는 제곱근 5라고 읽는다.

④ 5의 제곱근과 제곱근 5는 같은 뜻이다.

⑤ 양의 제곱근과 음의 제곱근은 같은 값이다.

4 다음 설명이 옳으면 ○표, 옳지 않으면 ×표를 ( ) 안에 써넣으시오.

(1) 0의 제곱근은 없다.   (   )

(2) 49의 제곱근은 ±7이다.   (   )

(3) −36의 제곱근은 없다.   (   )

(4) 16의 제곱근은 4이다.   (   )

(5) $\dfrac{1}{2}$의 제곱근은 ±$\dfrac{1}{4}$이다.   (   )

(6) 모든 수의 제곱근은 2개이다.   (   )

5 다음 중 나머지 넷과 <u>다른</u> 하나는?

① ±$\sqrt{7}$ ② 제곱근 7

③ 7의 제곱근   ④ 제곱하여 7이 되는 수

⑤ $x^2 = 7$을 만족하는 x의 값

교과서 핵심 정리

핵심 3 제곱근의 성질

$a>0$일 때

(1) $(\sqrt{a})^2=$ ❶ , $(-\sqrt{a})^2=$ ❷

[예] $(\sqrt{2})^2=2$, $(-\sqrt{2})^2=2$

(2) $\sqrt{a^2}=$ ❸ , $\sqrt{(-a)^2}=$ ❹

[예] $\sqrt{2^2}=2$, $\sqrt{(-2)^2}=2$

[참고] 모든 수 a에 대하여

$$\sqrt{a^2}=|a|=\begin{cases} a & (a\geq 0) \\ \boxed{❺} & (a<0) \end{cases}$$

[예] $5>0$이므로 $\sqrt{5^2}=5$

$-5<0$이므로 $\sqrt{(-5)^2}=-(-5)=5$

❶ a
❷ a
❸ a
❹ a

❺ $-a$

핵심 4 제곱근의 대소 관계

(1) 제곱근의 대소 관계

$a>0$, $b>0$일 때

① $a<b$이면 $\sqrt{a}$ ❻ $\sqrt{b}$

② $\sqrt{a}<\sqrt{b}$이면 a ❼ b

[참고] $a<b$이면 $\sqrt{a}<\sqrt{b}$이므로 $-\sqrt{a}$ ❽ $-\sqrt{b}$

[예] $2<3$이므로 $\sqrt{2}<\sqrt{3}$

$\therefore -\sqrt{2}>-\sqrt{3}$

넓이 a < 넓이 b

$\sqrt{a}$ $\sqrt{b}$

❻ $<$
❼ $<$
❽ $>$

(2) 근호가 있는 수와 근호가 없는 수의 대소 비교

[방법 1] 근호가 없는 수를 근호가 있는 수로 바꾼 후 대소를 비교한다.

[예] 2와 $\sqrt{3}$의 대소를 비교하면

$2=\sqrt{4}$이고 $\sqrt{4}>\sqrt{3}$ $\therefore 2>\sqrt{3}$

[방법 2] 각각의 수를 ❾ 하여 대소를 비교한다. (단, 두 수는 모두 양수)

[예] 2와 $\sqrt{3}$의 대소를 비교하면

$2^2=4$, $(\sqrt{3})^2=3$이고 $4>3$ $\therefore 2>\sqrt{3}$

❾ 제곱

6 다음 수를 근호를 사용하지 않고 나타내시오.

(1) $(\sqrt{11})^2$ (2) $(-\sqrt{11})^2$

(3) $\sqrt{11^2}$ (4) $\sqrt{(-11)^2}$

7 다음 중 나머지 넷과 <u>다른</u> 하나는?

① $-\sqrt{3^2}$ ② $-(\sqrt{3})^2$

③ $(-\sqrt{3})^2$ ④ $-(-\sqrt{3})^2$

⑤ $-\sqrt{(-3)^2}$

8 $a < 0$일 때, 다음 식을 간단히 하시오.

(1) $\sqrt{(2a)^2}$

(2) $-\sqrt{(2a)^2}$

(3) $\sqrt{(-2a)^2}$

(4) $-\sqrt{(-2a)^2}$

$\sqrt{(\ \ \ )^2}$의 꼴이 나오면
( ) 안의 부호를 조사해!

( ) 안이 ＋이면?	( ) 안이 －이면?
$\sqrt{(\ \ \ )^2}=(\ \ \ )$	$\sqrt{(\ \ \ )^2}=-(\ \ \ )$

9 다음 ◯ 안에 부등호 ＞, ＜ 중 알맞은 것을 써넣으시오.

(1) $\sqrt{8}$ ◯ $\sqrt{10}$

(2) $-\sqrt{5}$ ◯ $-\sqrt{6}$

(3) $\sqrt{\dfrac{1}{2}}$ ◯ $\sqrt{\dfrac{1}{3}}$

10 다음 ◯ 안에 부등호 ＞, ＜ 중 알맞은 것을 써넣으시오.

(1) $\sqrt{15}$ ◯ 4

(2) 0.5 ◯ $\sqrt{0.2}$

(3) $-\dfrac{1}{2}$ ◯ $-\sqrt{\dfrac{1}{2}}$

대표 예제 1

다음 중 옳은 것은?

① 음수의 제곱근은 음수이다.
② 9의 제곱근은 3이다.
③ 제곱근 2는 $\pm\sqrt{2}$이다.
④ $\sqrt{16}$의 제곱근은 ± 2이다.
⑤ $\sqrt{(-25)^2}$의 제곱근은 $\pm\sqrt{5}$이다.

개념 가이드

- $x^2 = a\,(a \geq 0)$일 때, x를 a의 ①〔   〕이라고 한다.
- a의 제곱근과 제곱근 a (단, $a > 0$)

a의 제곱근	제곱근 a
제곱하여 a가 되는 수	a의 양의 제곱근
②〔 〕	$\sqrt{a}$

답 ① 제곱근 ② $\pm\sqrt{a}$

대표 예제 2

다음을 읽고, $A - B$의 값을 구하시오.

나는 $(-4)^2$의 음의 제곱근이야.

나는 $\sqrt{81}$의 양의 제곱근이야.

개념 가이드

양수 a의 양의 제곱근은 ①〔   〕이고 음의 제곱근은 ②〔   〕이다.

답 ① $\sqrt{a}$ ② $-\sqrt{a}$

대표 예제 3

다음 중 옳은 것은?

① $\sqrt{5^2} = \pm 5$
② $\sqrt{(-5)^2} = 5$
③ $(-\sqrt{5})^2 = -5$
④ $-\sqrt{5^2} = 5$
⑤ $-\sqrt{(-5)^2} = 5$

개념 가이드

$a > 0$일 때

- $(\sqrt{a})^2 = a$
- $(-\sqrt{a})^2 = $ ①〔   〕
- $\sqrt{a^2} = a$
- $\sqrt{(-a)^2} = $ ②〔   〕

답 ① a ② a

대표 예제 4

$a > 0$일 때, 다음 중 옳지 <u>않은</u> 것은?

① $\sqrt{a^2} = a$
② $(-\sqrt{a})^2 = a$
③ $(\sqrt{a})^2 = a$
④ $\sqrt{(-a)^2} = -a$
⑤ $-\sqrt{a^2} = -a$

개념 가이드

- $\sqrt{(양수)^2} = (양수)$
- $\sqrt{(음수)^2} = -(\,$ ①〔   〕 $)$

답 ① 음수

대표 예제 **5**

다음은 $\sqrt{24n}$이 자연수가 되도록 하는 가장 작은 자연수 n의 값을 구하는 과정이다. ☐ 안에 알맞은 수를 써넣으시오.

근호 안을 소인수분해하면
$24n = 2^{\square} \times \square \times n$
소인수의 지수가 모두 짝수가 되도록 하는 가장 작은 자연수 n의 값은 ☐ × 3 = ☐

개념 가이드

$\sqrt{Ax}$	$\sqrt{\dfrac{A}{x}}$	$\sqrt{A+x}$	$\sqrt{A-x}$
A를 소인수분해한 후 소인수의 지수가 모두 ① ☐ 가 되도록 한다.	A보다 큰 (자연수)²의 꼴인 수를 찾는다.	A보다 ② ☐ (자연수)²의 꼴인 수를 찾는다.	

답 ① 짝수 ② 작은

대표 예제 **6**

$\sqrt{100+x}$가 자연수가 되도록 하는 x의 값 중에서 가장 작은 자연수는?

① 4   ② 9   ③ 11
④ 12   ⑤ 21

개념 가이드

$\sqrt{A+x}$가 자연수가 되려면 $A+x$는 A보다 큰 (① ☐)²의 꼴인 수이어야 한다.

답 ① 자연수

대표 예제 **7**

다음 중 두 수의 대소 관계가 옳은 것은?

① $3 > \sqrt{10}$ ② $\sqrt{2} < \sqrt{1.5}$
③ $\dfrac{1}{2} > \sqrt{\dfrac{1}{3}}$ ④ $-\sqrt{15} < -4$
⑤ $-\sqrt{\dfrac{1}{2}} < -\sqrt{\dfrac{1}{3}}$

개념 가이드

· $a > 0,\ b > 0$일 때
  $a < b$이면 $\sqrt{a} < \sqrt{b},\ -\sqrt{a}$ ① ☐ $-\sqrt{b}$
· $\sqrt{}$ 가 없는 수는 $\sqrt{}$ 가 있는 수로 바꾸어 대소를 비교한다.

답 ① >

대표 예제 **8**

부등식 $\sqrt{5x} < 6$을 만족하는 자연수 x의 개수를 구하시오.

개념 가이드

제곱근을 포함한 부등식의 각 변이 모두 양수이면 각 변을 ① ☐ 해도 부등호의 방향은 바뀌지 않는다.

답 ① 제곱

1 다음 중 옳은 것은?

① 제곱근 13은 $\pm\sqrt{13}$이다.

② -49의 제곱근은 -7이다.

③ $\sqrt{36}$의 제곱근은 ± 6이다.

④ $\sqrt{(-5)^2}$의 제곱근은 ± 5이다.

⑤ $\sqrt{\dfrac{1}{16}}$의 양의 제곱근은 $\dfrac{1}{2}$이다.

3 다음 중 옳지 않은 것은?

① $\sqrt{4}+\sqrt{121}=13$

② $\sqrt{0.64}\times\sqrt{9}=2.4$

③ $\sqrt{(-7)^2}-\sqrt{3^2}=4$

④ $\sqrt{(-18)^2}\div\sqrt{3^2}=6$

⑤ $(-\sqrt{5})^2\times(\sqrt{6})^2=-30$

2 $\dfrac{9}{64}$의 음의 제곱근을 A, $\sqrt{(-16)^2}$의 양의 제곱근을 B라고 할 때, AB의 값은?

① $-\dfrac{3}{2}$ ② $-\dfrac{3}{4}$ ③ $\dfrac{3}{4}$

④ $\dfrac{3}{2}$ ⑤ 6

4 $a<0$일 때, $\sqrt{(-3a)^2}+\sqrt{4a^2}$을 간단히 하면?

① $-5a$ ② $-a$ ③ a

④ $2a$ ⑤ $5a$

5 $\sqrt{28n}$이 자연수가 되도록 하는 가장 작은 자연수 n의 값은?

① 3   ② 5   ③ 7

④ 11   ⑤ 13

7 다음 중 두 수의 대소 관계가 옳은 것은?

① $\sqrt{17} < 4$ ② $-\sqrt{6} < -\sqrt{7}$

③ $-3 < -\sqrt{8}$ ④ $\dfrac{1}{3} < \sqrt{\dfrac{1}{10}}$

⑤ $\dfrac{1}{4} > \dfrac{1}{\sqrt{4}}$

6 다음은 윤호가 $\sqrt{15-x}$가 정수가 되도록 하는 모든 자연수 x의 값을 구하는 과정이다. ☐ 안에 알맞은 수를 써넣으시오.

> $\sqrt{15-x}$가 정수가 되려면
> $15-x = (정수)^2$의 꼴이어야 한다.
> 이때 x가 자연수이므로
> $15-x$는 ☐ 보다 작은 $(정수)^2$의 꼴이다.
> 즉 $15-x = $ ☐ , 1, 4, 9
> $\therefore x = $ ☐ , 14, ☐ , 6

(정수)²의 꼴이니까 0도 있군!

8 $\sqrt{3x} < 6$을 만족하는 자연수 x의 값 중에서 가장 큰 수를 M, 가장 작은 수를 m이라고 할 때, $M+m$의 값을 구하시오.

이것만은 꼭꼭!

1. 유리수가 아닌 수, 즉 순환소수가 아닌 무한소수를 ❶ [　　　] 라고 한다.

2. 유리수와 무리수를 통틀어 ❷ [　　　] 라고 한다.

3. 수직선은 ❸ [　　　] 에 대응하는 점으로 완전히 메울 수 있다.

4. 두 실수 a, b의 대소 관계는 $a-b$의 ❹ [　　　] 를 확인한다.

답 ❶ 무리수 ❷ 실수 ❸ 실수 ❹ 부호

2일 교과서 핵심 정리

핵심 1 무리수

(1) **무리수** : 유리수가 아닌 수, 즉 순환소수가 아닌 무한소수를 <u> ❶ </u> 라고 한다.

　[예] $\sqrt{2}=1.414213562\cdots$이므로 <u> ❷ </u> 이다.

　[주의] $\sqrt{(유리수)^2}$의 꼴은 근호를 사용하지 않고 나타낼 수 있으므로 $\sqrt{}$ 가 있다고 모두 무리수인 것은 아니다.

　　[예] $\sqrt{9}=3$ (유리수), $\sqrt{\dfrac{1}{4}}=\dfrac{1}{2}$ (유리수)

(2) **소수의 분류**

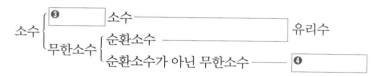

소수 $\begin{cases} \text{❸ \underline{} 소수} \\[4pt] \text{무한소수} \begin{cases} \text{순환소수} \rule[2pt]{3cm}{0.4pt} \text{유리수} \\[4pt] \text{순환소수가 아닌 무한소수} \rule[2pt]{1cm}{0.4pt} \text{❹ \underline{}} \end{cases} \end{cases}$

❶ 무리수
❷ 무리수

❸ 유한

❹ 무리수

핵심 2 실수

(1) **실수** : 유리수와 무리수를 통틀어 <u> ❺ </u> 라고 한다.

(2) **실수의 분류**

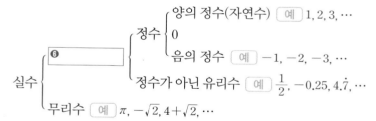

$\text{실수} \begin{cases} \text{❻ \underline{}} \begin{cases} \text{정수} \begin{cases} \text{양의 정수(자연수)} \;[\text{예}]\; 1, 2, 3, \cdots \\ 0 \\ \text{음의 정수} \;[\text{예}]\; -1, -2, -3, \cdots \end{cases} \\ \text{정수가 아닌 유리수} \;[\text{예}]\; \dfrac{1}{2}, -0.25, 4.\dot{7}, \cdots \end{cases} \\[6pt] \text{무리수} \;[\text{예}]\; \pi, -\sqrt{2}, 4+\sqrt{2}, \cdots \end{cases}$

❺ 실수

❻ 유리수

핵심 3 제곱근표

(1) **제곱근표** : 1.00에서 99.9까지의 수의 양의 제곱근의 값을 반올림하여 소수점 아래 셋째 자리까지 나타낸 표를 <u> ❼ </u> 라고 한다.

(2) **제곱근표에서 제곱근의 값을 읽는 방법**

　$\sqrt{2.21}$의 값은 제곱근표에서 왼쪽의 수 2.2의 가로줄과 위쪽의 수 1의 세로줄이 만나는 수인 1.487이다.

　➡ $\sqrt{2.21}=$ <u> ❽ </u>

❼ 제곱근표

❽ 1.487

수	0	1	2
1.0	1.000	1.005	1.010
⋮	⋮	⋮	⋮
2.1	1.449	1.453	1.456
2.2	1.483	1.487	1.490
2.3	1.517	1.520	1.523

시험지 속 개념 문제

정답과 풀이 **77쪽**

1 다음 수가 유리수이면 '유', 무리수이면 '무'를 ( ) 안에 써넣으시오.

(1) $\sqrt{11}$ ( )

(2) $\sqrt{0.49}$ ( )

(3) $-\sqrt{0.9}$ ( )

(4) π ( )

(5) $3.1\dot{1}\dot{4}$ ( )

(6) $\sqrt{(-5)^2}$ ( )

2 다음 설명이 옳으면 ○표, 옳지 않으면 ×표를 ( ) 안에 써넣으시오.

(1) 무리수는 모두 무한소수이다.   ( )

(2) 순환소수는 모두 무리수이다.   ( )

(3) 유한소수는 모두 유리수이다.   ( )

(4) 무한소수 중에는 무리수도 있다.   ( )

3 다음은 수지가 노트에 실수의 분류를 정리한 것이다. 잉크가 엎질러진 부분에 해당하는 수는?

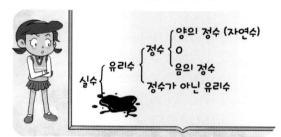

① $3.1415926535\cdots$ ② $-\sqrt{16}$

③ $4.\dot{1}\dot{6}$ ④ $\sqrt{\dfrac{4}{25}}$

⑤ $\sqrt{1.44}$

4 아래 제곱근표를 이용하여 다음 제곱근의 값을 구하시오.

수	0	1	2	3	4
3.0	1.732	1.735	1.738	1.741	1.744
3.1	1.761	1.764	1.766	1.769	1.772
3.2	1.789	1.792	1.794	1.797	1.800
3.3	1.817	1.819	1.822	1.825	1.828
3.4	1.844	1.847	1.849	1.852	1.855

(1) $\sqrt{3}$ (2) $\sqrt{3.12}$

(3) $\sqrt{3.24}$ (4) $\sqrt{3.43}$

2일 교과서 **핵심 정리**

핵심 4 실수와 수직선

(1) 무리수를 수직선 위에 나타내기

유리수뿐만 아니라 무리수도 수직선 위에 나타낼 수 있다.

[예] $\sqrt{2}$, $-\sqrt{2}$를 각각 수직선 위에 나타내기

① 오른쪽 그림과 같이 한 눈금의 길이가 1인 모눈종이
위에 $\angle B=90°$, $\overline{AB}=\overline{OB}=1$인 직각삼각형
AOB와 수직선을 그린다.

② 직각삼각형 AOB의 빗변의 길이를 구한다.

→ $\overline{OA}=\sqrt{1^2+1^2}=$ **❶**

③ 원점 O를 중심으로 하고 $\overline{OA}$를 **❷** 으로 하는 원을 그려 수직선과 만나는
두 점을 각각 P, Q라고 하면 두 점 P, Q에 대응하는 수는 각각 $\sqrt{2}$, **❸** 이다.

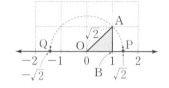

❶ $\sqrt{2}$
❷ 반지름
❸ $-\sqrt{2}$

(2) 실수와 수직선

① 모든 실수는 각각 수직선 위의 한 점에 대응한다.

② 서로 다른 두 실수 사이에는 무수히 많은 실수가 있다.

③ 수직선은 **❹** 에 대응하는 점으로 완전히 메울 수 있다.

❹ 실수

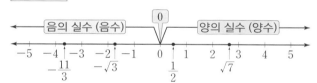

[참고] 간단히 양의 실수를 양수, 음의 실수를 음수라고 한다.

핵심 5 실수의 대소 관계

(1) 실수의 대소 관계

① 양수는 0보다 크고, 음수는 0보다 작다.

→ (음수) < **❺** < (양수)

② 양수끼리는 절댓값이 큰 수가 **❻** .

③ 음수끼리는 절댓값이 큰 수가 **❼** .

오른쪽으로 갈수록 커진다.

-3 -2 -1 0 1 2 3
$-\frac{5}{2}$ $-\sqrt{2}$ $\sqrt{2}$ π

절댓값이 클수록 작다.   절댓값이 클수록 크다.

❺ 0
❻ 크다
❼ 작다

(2) 두 실수 a, b의 대소 관계

① $a-b>0$이면 a **❽** b

② $a-b=0$이면 $a=b$

③ $a-b<0$이면 a **❾** b

[예] $(\sqrt{3}+1)-(\sqrt{2}+1)=\sqrt{3}-\sqrt{2}>0$ $\therefore \sqrt{3}+1>\sqrt{2}+1$

❽ >
❾ <

시험지 속 개념 문제

정답과 풀이 **77쪽**

5 다음은 한 눈금의 길이가 1인 모눈종이 위에 수직선과 직각삼각형 ABC를 그리고, $\overline{BA}=\overline{BP}$가 되도록 수직선 위에 점 P를 정할 때, 점 P에 대응하는 수를 구하는 과정이다. ☐ 안에 알맞은 수를 써넣으시오.

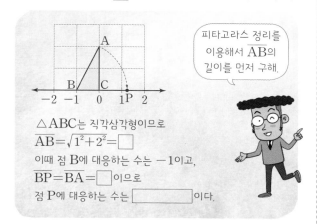

피타고라스 정리를 이용해서 $\overline{AB}$의 길이를 먼저 구해.

△ABC는 직각삼각형이므로
$\overline{AB}=\sqrt{1^2+2^2}=$ ☐
이때 점 B에 대응하는 수는 -1이고,
$\overline{BP}=\overline{BA}=$ ☐ 이므로
점 P에 대응하는 수는 ☐ 이다.

6 다음 그림과 같이 한 눈금의 길이가 1인 모눈종이 위에 수직선과 정사각형 ABCD를 그리고, 점 A를 중심으로 하고 $\overline{AB}$를 반지름으로 하는 원을 그렸다. 수직선 위의 두 점 P, Q에 대응하는 수를 각각 a, b라고 할 때, ☐ 안에 알맞은 수를 써넣으시오.

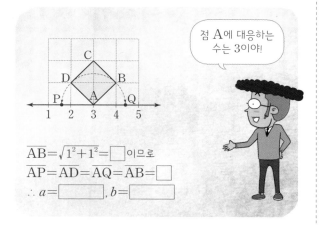

점 A에 대응하는 수는 3이야!

$\overline{AB}=\sqrt{1^2+1^2}=$ ☐ 이므로
$\overline{AP}=\overline{AD}=\overline{AQ}=\overline{AB}=$ ☐
∴ $a=$ ☐ , $b=$ ☐

7 다음 설명이 옳으면 ○표, 옳지 않으면 ×표를 ( ) 안에 써넣으시오.

(1) $\sqrt{5}$는 수직선 위에 나타낼 수 없다. ( )

(2) 서로 다른 두 무리수 사이에는 무수히 많은 무리수가 있다. ( )

(3) 수직선은 유리수에 대응하는 점들로 완전히 메울 수 있다. ( )

8 다음은 두 실수 $3-\sqrt{2}$와 $\sqrt{5}-\sqrt{2}$의 대소를 비교하는 과정이다. ☐ 안에 알맞은 수를 써넣고, ○ 안에 부등호 $>$, $<$ 중 알맞은 것을 써넣으시오.

$(3-\sqrt{2})-(\sqrt{5}-\sqrt{2})$
$=3-\sqrt{2}-\sqrt{5}+\sqrt{2}$
$=$ ☐
이때 3 ○ $\sqrt{5}$이므로 $3-\sqrt{5}$ ○ 0
∴ $3-\sqrt{2}$ ○ $\sqrt{5}-\sqrt{2}$

9 다음 ○ 안에 부등호 $>$, $<$ 중 알맞은 것을 써넣으시오.

(1) $\sqrt{2}+1$ ○ 2

(2) $\sqrt{3}-2$ ○ $\sqrt{5}-2$

(3) $\sqrt{5}-\sqrt{6}$ ○ $2-\sqrt{6}$

대표 예제 1

다음 중 무리수가 <u>아닌</u> 것을 적은 학생을 고르시오.

진성 $\sqrt{32}$
준호 $\sqrt{49}$
경아 $-\sqrt{5}$
규찬 $\sqrt{2}+1$

개념 가이드

• $\sqrt{(유리수)^2}$의 꼴은 근호를 사용하지 않고 나타낼 수 있다.
• 무리수에 유리수를 더하거나 빼어도 그 수는 ① ⬜⬜⬜ 이
다.

답 ① 무리수

대표 예제 2

다음 중 옳지 <u>않은</u> 것은?

① 순환소수는 모두 유리수이다.
② 무한소수 중에는 유리수도 있다.
③ 순환소수가 아닌 무한소수는 무리수이다.
④ 근호를 사용하여 나타낸 수는 모두 무리수이다.
⑤ 무리수는 $\dfrac{(정수)}{(0이\ 아닌\ 정수)}$의 꼴로 나타낼 수 없다.

개념 가이드

소수 {
유한소수
무한소수 {
순환소수 ─── ①
순환소수가 아닌 무한소수 ─── ②
}
}

답 ① 유리수 ② 무리수

대표 예제 3

다음 중 제곱근표를 이용하여 구한 제곱근의 값이 옳
지 <u>않은</u> 것은?

수	0	1	2	3
1.8	1.342	1.345	1.349	1.353
1.9	1.378	1.382	1.386	1.389
2.0	1.414	1.418	1.421	1.425
2.1	1.449	1.453	1.456	1.459

① $\sqrt{1.82}=1.349$ 　　② $\sqrt{1.9}=1.378$
③ $\sqrt{1.93}=1.386$ 　　④ $\sqrt{2.01}=1.418$
⑤ $\sqrt{2.13}=1.459$

개념 가이드

$\sqrt{1.82}$의 값을 구할 때, 1.8은 제곱근표의 ① ⬜ 쪽에서, 2는 제
곱근표의 ② ⬜ 쪽에서 찾는다. 답 ① 왼 ② 위

대표 예제 4

다음 그림은 한 눈금의 길이가 1인 모눈종이 위에 수
직선과 직각삼각형 ABC를 그린 것이다. $\overline{AC}=\overline{PC}$
이고 점 C에 대응하는 수가 3일 때, 점 P에 대응하는
수를 구하시오.

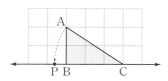

개념 가이드

오른쪽 그림에서
• 기준점의 왼쪽에 있는 점에 대응
하는 수 → k ① ⬜ $\sqrt{a}$
• 기준점의 오른쪽에 있는 점에 대
응하는 수 → k ② ⬜ $\sqrt{a}$

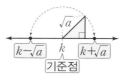

답 ① − ② +

대표 예제 **5**

다음 중 옳지 <u>않은</u> 것을 모두 고르면? (정답 2개)

① 3과 4 사이에는 무수히 많은 유리수가 있다.

② $\sqrt{2}$와 $\sqrt{3}$ 사이에는 무리수가 없다.

③ 모든 실수는 각각 수직선 위의 한 점에 대응한다.

④ $\sqrt{3}$과 $\sqrt{7}$ 사이에는 1개의 정수가 있다.

⑤ 수직선은 무리수에 대응하는 점들로 완전히 메울 수 있다.

🧭 개념 가이드

- 수직선은 실수에 대응하는 점들로 완전히 메울 수 ① \[\quad\].
- 음의 실수는 수직선에서 원점의 왼쪽에, 양의 실수는 수직선에서 원점의 ② \[\quad\]에 대응된다.

답 ① 있다 ② 오른쪽

대표 예제 **7**

다음 중 두 실수의 대소 관계가 옳은 것은?

① $\sqrt{3}+4<6$

② $5<4-\sqrt{3}$

③ $2-\sqrt{5}<-\sqrt{7}+2$

④ $\sqrt{6}-4<-4+\sqrt{3}$

⑤ $\sqrt{5}+\sqrt{13}<\sqrt{11}+\sqrt{5}$

🧭 개념 가이드

두 실수 a, b에 대하여

- $a-b>0$이면 a ① \[\quad\] b
- $a-b=0$이면 $a=b$
- $a-b<0$이면 a ② \[\quad\] b

답 ① > ② <

대표 예제 **6**

다음 중 두 수 $-\sqrt{5}$와 1 사이에 있는 정수가 <u>아닌</u> 것을 모두 고르면? (정답 2개)

① -2 ② -1 ③ 0

④ 1   ⑤ 2

🧭 개념 가이드

$\sqrt{c}$가 두 자연수 a, b 사이의 수이면 $\sqrt{a^2}<\sqrt{c}<\sqrt{①\ \ }$ 이다.

답 ① b^2

대표 예제 **8**

세 실수 $A=2+\sqrt{7}$, $B=\sqrt{5}+\sqrt{7}$, $C=2+\sqrt{5}$의 대소 관계를 부등호를 사용하여 나타내시오.

🧭 개념 가이드

세 수 A, B, C에 대하여

$A<B$이고 $B<C$이면 $①\ \ <②\ \ <C$ **답** ① A ② B

1 다음 보기 중 무리수는 모두 몇 개인가?

> **보기**
> ㉠ $\sqrt{9}+1$　　㉡ $\sqrt{0.9}$　　㉢ $\sqrt{0.16}$
> ㉣ $-\sqrt{\dfrac{9}{16}}$　　㉤ $\sqrt{2}+3$　　㉥ $\sqrt{(-7)^2}$

① 1개　　　② 2개　　　③ 3개
④ 4개　　　⑤ 5개

2 다음 보기의 설명 중 옳은 것을 모두 고른 것은?

> **보기**
> ㉠ 무한소수는 모두 무리수이다.
> ㉡ $\dfrac{(정수)}{(0이\ 아닌\ 정수)}$ 의 꼴로 나타낼 수 있는 수는 무리수가 아니다.
> ㉢ 유리수와 무리수를 통틀어 실수라고 한다.
> ㉣ 정수가 아니면서 유리수인 수는 없다.

① ㉠, ㉡　　　　　② ㉠, ㉢
③ ㉡, ㉢　　　　　④ ㉡, ㉣
⑤ ㉡, ㉢, ㉣

3 다음 중 제곱근표를 이용하여 구한 제곱근의 값이 옳은 것은?

수	0	1	2	3
3.4	1.844	1.847	1.849	1.852
3.5	1.871	1.873	1.876	1.879
3.6	1.897	1.900	1.903	1.905
3.7	1.924	1.926	1.929	1.931

① $\sqrt{3.42}=1.844$　　② $\sqrt{3.5}=1.897$
③ $\sqrt{3.51}=1.876$　　④ $\sqrt{3.62}=1.903$
⑤ $\sqrt{3.73}=1.924$

4 다음 그림은 한 변의 길이가 1인 정사각형 3개를 수직선 위에 그린 것이다. 각 정사각형의 대각선을 반지름으로 하는 원을 그려 수직선과 만나는 점을 각각 A, B, C, D, E라고 할 때, $\sqrt{2}-2$에 대응하는 점은?

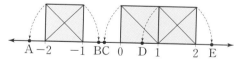

① A　　　② B　　　③ C
④ D　　　⑤ E

5 다음 중 옳지 <u>않은</u> 것은?

① 0과 1 사이에는 무수히 많은 유리수가 있다.

② 수직선 위의 각 점에 실수를 하나씩 대응시킬 수 있다.

③ -1과 $\sqrt{2}$ 사이에는 무수히 많은 정수가 있다.

④ 서로 다른 두 무리수 사이에는 무수히 많은 무리수가 있다.

⑤ $\sqrt{5}$와 $\sqrt{7}$ 사이에는 무수히 많은 유리수가 있다.

6 다음 중 두 수 2와 $\sqrt{7}$ 사이에 있는 수를 모두 고르면?

(정답 2개)

① $\sqrt{2}$ ② $\sqrt{5}$ ③ $\sqrt{6}$

④ $2\sqrt{2}$ ⑤ 3

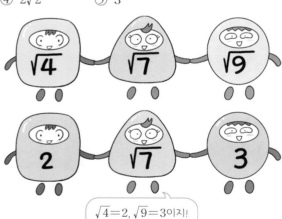

$\sqrt{4}=2$, $\sqrt{9}=3$이지!

7 다음 중 두 실수의 대소 관계가 옳지 <u>않은</u> 것은?

① $\sqrt{5}<3$ ② $2+\sqrt{3}<4$

③ $-\sqrt{3}<-\sqrt{2}$ ④ $\sqrt{7}+1>\sqrt{6}+1$

⑤ $5-\sqrt{2}<5-\sqrt{3}$

8 다음 중 세 실수 a, b, c의 대소 관계를 바르게 나타낸 것은?

$$a=2+\sqrt{5}, b=\sqrt{2}+\sqrt{5}, c=\sqrt{2}+2$$

① $a<b<c$ ② $a<c<b$

③ $b<a<c$ ④ $c<a<b$

⑤ $c<b<a$

3일 근호를 포함한 식의 계산

공부할 내용
❶ 제곱근의 곱셈과 나눗셈
❷ 분모의 유리화
❸ 제곱근의 덧셈과 뺄셈
❹ 근호를 포함한 복잡한 식의 계산

이것만은 꼭꼭!

$a>0$, $b>0$이고 m, n이 유리수일 때

1. $m\sqrt{a} \times n\sqrt{b} = mn\sqrt{\boxed{❶}}$

2. $m\sqrt{a} \div n\sqrt{b} = \boxed{❷}\sqrt{\dfrac{a}{b}}$ (단, $n \neq 0$)

3. $\sqrt{a^2 b} = \boxed{❸}$, $a\sqrt{b} = \sqrt{a^2 b}$

4. $\dfrac{\sqrt{a}}{\sqrt{b}} = \dfrac{\sqrt{a} \times \boxed{❹}}{\sqrt{b} \times \sqrt{b}} = \dfrac{\sqrt{ab}}{b}$

5. $m\sqrt{a} + n\sqrt{a} = (\boxed{❺})\sqrt{a}$

6. $m\sqrt{a} - n\sqrt{a} = (\boxed{❻})\sqrt{a}$

답 ❶ ab ❷ $\dfrac{m}{n}$ ❸ $a\sqrt{b}$ ❹ $\sqrt{b}$ ❺ $m+n$ ❻ $m-n$

교과서 핵심 정리

핵심 1 제곱근의 곱셈과 나눗셈

$a > 0$, $b > 0$이고 m, n이 유리수일 때

(1) 제곱근의 곱셈

① $\sqrt{a} \times \sqrt{b} = \sqrt{a}\sqrt{b} = \boxed{❶}$

② $m\sqrt{a} \times n\sqrt{b} = \boxed{❷}\sqrt{ab}$

[예] ① $\sqrt{2} \times \sqrt{3} = \sqrt{2}\sqrt{3} = \sqrt{2 \times 3} = \sqrt{6}$ ② $2\sqrt{3} \times 3\sqrt{5} = (2 \times 3) \times \sqrt{3 \times 5} = 6\sqrt{15}$

(2) 제곱근의 나눗셈

① $\sqrt{a} \div \sqrt{b} = \dfrac{\sqrt{a}}{\sqrt{b}} = \sqrt{\dfrac{a}{b}}$

② $m\sqrt{a} \div n\sqrt{b} = \dfrac{m\sqrt{a}}{n\sqrt{b}} = \boxed{❸}\sqrt{\dfrac{a}{b}}$ (단, $n \neq 0$)

[예] ① $\sqrt{2} \div \sqrt{3} = \dfrac{\sqrt{2}}{\sqrt{3}} = \sqrt{\dfrac{2}{3}}$ ② $2\sqrt{3} \div 3\sqrt{5} = \dfrac{2\sqrt{3}}{3\sqrt{5}} = \dfrac{2}{3}\sqrt{\dfrac{3}{5}}$

❶ $\sqrt{ab}$

❷ mn

❸ $\dfrac{m}{n}$

핵심 2 근호가 있는 식의 변형

$a > 0$, $b > 0$일 때

(1) $\sqrt{a^2 b} = a\sqrt{b}$, $a\sqrt{b} = \boxed{❹}$

(2) $\sqrt{\dfrac{a}{b^2}} = \dfrac{\sqrt{a}}{b}$, $\dfrac{\sqrt{a}}{b} = \boxed{❺}$

[예] ① $\sqrt{12} = \sqrt{2^2 \times 3} = 2\sqrt{3}$ ② $\sqrt{\dfrac{3}{4}} = \sqrt{\dfrac{3}{2^2}} = \dfrac{\sqrt{3}}{2}$

❹ $\sqrt{a^2 b}$

❺ $\sqrt{\dfrac{a}{b^2}}$

핵심 3 분모의 유리화

분수의 분모가 근호를 포함한 무리수일 때, 분모와 분자에 각각 0이 아닌 같은 수를 곱하여 분모를 유리수로 고치는 것을 분모의 $\boxed{❻}$ 라고 한다.

$a > 0$, $b > 0$일 때

(1) $\dfrac{\sqrt{a}}{\sqrt{b}} = \dfrac{\sqrt{a} \times \sqrt{b}}{\sqrt{b} \times \sqrt{b}} = \boxed{❼}$

(2) $\dfrac{c}{a\sqrt{b}} = \dfrac{c \times \sqrt{b}}{a\sqrt{b} \times \sqrt{b}} = \boxed{❽}$

[예] ① $\dfrac{\sqrt{2}}{\sqrt{3}} = \dfrac{\sqrt{2} \times \sqrt{3}}{\sqrt{3} \times \sqrt{3}} = \dfrac{\sqrt{6}}{3}$ ② $\dfrac{5}{2\sqrt{3}} = \dfrac{5 \times \sqrt{3}}{2\sqrt{3} \times \sqrt{3}} = \dfrac{5\sqrt{3}}{6}$

❻ 유리화

❼ $\dfrac{\sqrt{ab}}{b}$

❽ $\dfrac{c\sqrt{b}}{ab}$

시험지 속 개념 문제

1 다음 식을 간단히 하시오.

(1) $\sqrt{2}\sqrt{7}$

(2) $\sqrt{\dfrac{1}{3}} \times 3\sqrt{6}$

(3) $\sqrt{30} \div \sqrt{5}$

(4) $-\dfrac{\sqrt{42}}{\sqrt{6}}$

2 다음 수를 $a\sqrt{b}$ 또는 $\dfrac{\sqrt{b}}{a}$ 의 꼴로 나타내시오.

（단, b 는 가장 작은 자연수）

(1) $\sqrt{45}$

(2) $-\sqrt{8}$

(3) $\sqrt{300}$

(4) $\sqrt{\dfrac{11}{64}}$

3 다음 수를 $\sqrt{a}$ 또는 $-\sqrt{a}$ 의 꼴로 나타내시오.

(1) $2\sqrt{7}$

(2) $3\sqrt{\dfrac{2}{3}}$

(3) $-4\sqrt{3}$

(4) $-5\sqrt{2}$

4 다음 식을 간단히 하시오.

(1) $2\sqrt{10} \times 3\sqrt{2}$

(2) $4\sqrt{12} \div 2\sqrt{3}$

5 다음 수의 분모를 유리화하시오.

(1) $\dfrac{\sqrt{3}}{\sqrt{2}}$

(2) $\dfrac{5}{3\sqrt{5}}$

(3) $-\dfrac{6\sqrt{5}}{\sqrt{3}}$

(4) $\dfrac{9}{\sqrt{24}}$

6 다음 세 학생의 계산 과정에서 각각 **틀린** 부분을 찾아 바르게 고치시오.

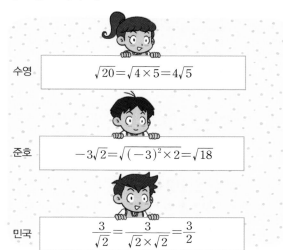

수영	$\sqrt{20} = \sqrt{4 \times 5} = 4\sqrt{5}$
준호	$-3\sqrt{2} = \sqrt{(-3)^2 \times 2} = \sqrt{18}$
민국	$\dfrac{3}{\sqrt{2}} = \dfrac{3}{\sqrt{2} \times \sqrt{2}} = \dfrac{3}{2}$

핵심 4 제곱근표에 없는 제곱근의 값

a가 제곱근표에 있는 수일 때

(1) $\sqrt{100a}=10\sqrt{a}$, $\sqrt{10000a}=\boxed{\mathbf{①}}\sqrt{a}$

(2) $\sqrt{\dfrac{a}{100}}=\dfrac{\sqrt{a}}{\boxed{\mathbf{②}}}$, $\sqrt{\dfrac{a}{10000}}=\dfrac{\sqrt{a}}{100}$

① 100

② 10

예 제곱근표에서 $\sqrt{2}=1.414$이므로

$\sqrt{200}=\sqrt{100\times2}=10\sqrt{2}=14.14$

$\sqrt{0.02}=\sqrt{\dfrac{2}{100}}=\dfrac{\sqrt{2}}{10}=0.1414$

핵심 5 제곱근의 덧셈과 뺄셈

m, n이 유리수이고 $a>0$일 때

(1) $m\sqrt{a}+n\sqrt{a}=(\boxed{\mathbf{③}})\sqrt{a}$

(2) $m\sqrt{a}-n\sqrt{a}=(\boxed{\mathbf{④}})\sqrt{a}$

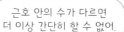
근호 안의 수가 다르면 더 이상 간단히 할 수 없어.

③ $m+n$

④ $m-n$

예 $2\sqrt{5}+\sqrt{2}-\sqrt{5}+\sqrt{18}=2\sqrt{5}+\sqrt{2}-\sqrt{5}+3\sqrt{2}$

$\qquad=2\sqrt{5}-\sqrt{5}+\sqrt{2}+3\sqrt{2}$

$\qquad=\sqrt{5}+4\sqrt{2}$

핵심 6 근호를 포함한 복잡한 식의 계산

(1) **분배법칙을 이용한 식의 계산**

$a>0$, $b>0$, $c>0$일 때

① $\sqrt{a}(\sqrt{b}+\sqrt{c})=\boxed{\mathbf{⑤}}+\sqrt{ac}$, $\sqrt{a}(\sqrt{b}-\sqrt{c})=\sqrt{ab}-\boxed{\mathbf{⑥}}$

② $(\sqrt{a}+\sqrt{b})\sqrt{c}=\sqrt{ac}+\sqrt{bc}$, $(\sqrt{a}-\sqrt{b})\sqrt{c}=\boxed{\mathbf{⑦}}-\boxed{\mathbf{⑧}}$

⑤ $\sqrt{ab}$

⑥ $\sqrt{ac}$

⑦ $\sqrt{ac}$

⑧ $\sqrt{bc}$

(2) **근호를 포함한 복잡한 식의 계산**

① 근호 안의 제곱인 인수는 근호 밖으로 꺼낸다.

② 분배법칙을 이용하여 $\boxed{\mathbf{⑨}}$ 를 푼다.

③ 분모에 근호를 포함한 무리수가 있으면 분모를 $\boxed{\mathbf{⑩}}$ 한다.

④ 곱셈과 나눗셈을 계산한 후에 덧셈과 뺄셈을 계산한다.

⑨ 괄호

⑩ 유리화

예 $(\sqrt{27}-3\sqrt{2})\times\sqrt{3}+(\sqrt{2}-\sqrt{3})\div\dfrac{\sqrt{2}}{2}$

$=(3\sqrt{3}-3\sqrt{2})\times\sqrt{3}+(\sqrt{2}-\sqrt{3})\times\dfrac{2}{\sqrt{2}}$

$=9-3\sqrt{6}+2-\sqrt{6}$

$=11-4\sqrt{6}$

7 다음 ☐ 안에 알맞은 수를 써넣으시오.

(1) $\sqrt{240}=\sqrt{\boxed{}\times2.4}=\boxed{}\sqrt{2.4}$

(2) $\sqrt{2400}=\sqrt{\boxed{}\times24}=\boxed{}\sqrt{24}$

(3) $\sqrt{24000}=\sqrt{\boxed{}\times2.4}=\boxed{}\sqrt{2.4}$

(4) $\sqrt{0.24}=\sqrt{\dfrac{24}{\boxed{}}}=\dfrac{\sqrt{24}}{\boxed{}}$

(5) $\sqrt{0.024}=\sqrt{\dfrac{2.4}{\boxed{}}}=\dfrac{\sqrt{2.4}}{\boxed{}}$

(6) $\sqrt{0.0024}=\sqrt{\dfrac{24}{\boxed{}}}=\dfrac{\sqrt{24}}{\boxed{}}$

8 다음 카드에 적힌 계산이 옳으면 ◯표, 옳지 않으면 ×표를 ( ) 안에 써넣으시오.

(1) $\sqrt{2}+\sqrt{3}=\sqrt{5}$ ( )

(2) $\sqrt{6}-\sqrt{3}=\sqrt{3}$ ( )

(3) $\sqrt{8}-\sqrt{2}=\sqrt{2}$ ( )

(4) $2+\sqrt{3}=2\sqrt{3}$ ( )

9 다음 식을 간단히 하시오.

(1) $\sqrt{3}-2\sqrt{5}-5\sqrt{3}+3\sqrt{5}$

(2) $3\sqrt{20}+\sqrt{45}$

(3) $\sqrt{80}-3\sqrt{5}+\sqrt{20}$

(4) $\sqrt{32}+\sqrt{2}-\dfrac{3}{\sqrt{2}}$

(5) $\sqrt{27}-\sqrt{45}-\dfrac{3}{\sqrt{3}}+\dfrac{10}{\sqrt{5}}$

10 다음 식을 간단히 하시오.

(1) $\sqrt{6}(\sqrt{3}-2\sqrt{2})$

(2) $(\sqrt{75}+\sqrt{12})\div\sqrt{3}$

(3) $\sqrt{6}\times\sqrt{5}\div\sqrt{3}$

(4) $\sqrt{12}-9\div\sqrt{3}+\sqrt{243}$

(5) $(6-\sqrt{18})\div\sqrt{3}-\sqrt{27}(\sqrt{2}-2)$

대표 예제 **1**

다음 중 옳은 것은?

① $\sqrt{5}\sqrt{6}=30$

② $(-\sqrt{3})\times(-\sqrt{7})=-\sqrt{21}$

③ $2\sqrt{5}\times3\sqrt{2}=5\sqrt{10}$

④ $(-\sqrt{3})\times(-\sqrt{5})=\sqrt{8}$

⑤ $4\sqrt{6}\div\sqrt{2}\times\sqrt{3}=12$

🧭 **개념 가이드**

$a>0, b>0$일 때

• $\sqrt{a}\times\sqrt{b}=\sqrt{a\times b}=\sqrt{\boxed{①}}$

• $\sqrt{a}\div\sqrt{b}=\dfrac{\sqrt{a}}{\sqrt{b}}=\sqrt{\boxed{②}}$

답 ① ab ② $\dfrac{a}{b}$

대표 예제 **2**

$\sqrt{32}=a\sqrt{2}$, $2\sqrt{3}=\sqrt{b}$일 때, $a+b$의 값은?

(단, a, b는 유리수)

① 8 　　② 10 　　③ 12

④ 16 　　⑤ 18

🧭 **개념 가이드**

$a>0, b>0$일 때

• $\sqrt{a^2b}=\boxed{①}\sqrt{b}$

• $\sqrt{\dfrac{a}{b^2}}=\dfrac{\sqrt{a}}{\boxed{②}}$

답 ① a ② b

대표 예제 **3**

다음 중 분모를 유리화한 것으로 옳지 <u>않은</u> 것은?

① $\dfrac{1}{\sqrt{5}}=\dfrac{\sqrt{5}}{5}$ 　　② $\dfrac{2}{\sqrt{2}}=\dfrac{\sqrt{2}}{2}$

③ $\dfrac{\sqrt{7}}{\sqrt{3}}=\dfrac{\sqrt{21}}{3}$ 　　④ $\dfrac{9}{4\sqrt{2}}=\dfrac{9\sqrt{2}}{8}$

⑤ $\dfrac{5}{\sqrt{12}}=\dfrac{5\sqrt{3}}{6}$

🧭 **개념 가이드**

$b>0$일 때

$\dfrac{a}{\sqrt{b}}=\dfrac{a\times\boxed{①}}{\sqrt{b}\times\boxed{②}}=\dfrac{a\sqrt{b}}{b}$

답 ① $\sqrt{b}$ ② $\sqrt{b}$

대표 예제 **4**

$\sqrt{4.23}=2.057$, $\sqrt{42.3}=6.504$일 때, $\sqrt{4230}$의 값을 구하기 위해 필요한 과정은?

① $\sqrt{4.23\times1000}$ 　　② $\sqrt{42.3\times100}$

③ $\sqrt{423\times10}$ 　　④ $\sqrt{\dfrac{4.23}{1000}}$

⑤ $\sqrt{\dfrac{42.3}{1000}}$

🧭 **개념 가이드**

• 근호 안의 수가 100보다 큰 수의 값

　→ $\sqrt{100a}=\boxed{①}\sqrt{a}$, $\sqrt{10000a}=100\sqrt{a}$, $\cdots$

• 근호 안의 수가 0보다 크고 1보다 작은 수의 값

　→ $\sqrt{\dfrac{a}{100}}=\dfrac{\sqrt{a}}{10}$, $\sqrt{\dfrac{a}{10000}}=\dfrac{\sqrt{a}}{\boxed{②}}$, $\cdots$

답 ① 10 ② 100

대표 예제 **5**

$\sqrt{75}+\sqrt{20}-3\sqrt{5}-\sqrt{48}$을 간단히 하면?

① $\sqrt{3}-\sqrt{5}$ ② $\sqrt{3}+\sqrt{5}$

③ $\sqrt{3}-2\sqrt{5}$ ④ $\sqrt{3}+2\sqrt{5}$

⑤ $2\sqrt{3}-\sqrt{5}$

> 제곱인 인수는 근호 밖으로!

> $\sqrt{\ }$ 안의 숫자가 같은 것끼리 계산!

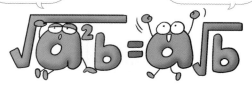

개념 가이드

$a>0$이고 m, n이 유리수일 때

· $m\sqrt{a}+n\sqrt{a}=(m+n)\sqrt{a}$

· $m\sqrt{a}-n\sqrt{a}=(\boxed{①}\ )\sqrt{a}$

답 ① $m-n$

대표 예제 **6**

$\dfrac{4}{\sqrt{2}}(\sqrt{2}+\sqrt{12})+\dfrac{\sqrt{48}-\sqrt{72}}{\sqrt{3}}=a+b\sqrt{6}$일 때, 유리수 a, b의 값은?

① $a=2, b=2$ ② $a=4, b=4$

③ $a=4, b=2$ ④ $a=8, b=4$

⑤ $a=8, b=2$

개념 가이드

$a>0, b>0, c>0$일 때

· $\sqrt{a}(\sqrt{b}+\sqrt{c})=\sqrt{ab}+\sqrt{ac}$

· $(\sqrt{a}+\sqrt{b})\sqrt{c}=\sqrt{ac}+\boxed{①}$

답 ① $\sqrt{bc}$

대표 예제 **7**

$\sqrt{5}(3-2\sqrt{5})+a(3+\sqrt{5})$가 유리수가 되도록 하는 유리수 a의 값은?

① -5 ② -3 ③ -1

④ 1 ⑤ 3

개념 가이드

a, b가 유리수이고 $\sqrt{m}$이 무리수일 때, $a+b\sqrt{m}$이 유리수가 되려면 $b=\boxed{①}$ 이어야 한다.

답 ① 0

대표 예제 **8**

다음 중 두 실수의 대소 관계가 옳은 것은?

① $5-\sqrt{3}>3\sqrt{3}$

② $2\sqrt{3}+1<\sqrt{3}-3$

③ $3+\sqrt{5}>\sqrt{5}+\sqrt{10}$

④ $2\sqrt{2}-1>\sqrt{2}+1$

⑤ $2\sqrt{3}+1<3\sqrt{2}+1$

개념 가이드

두 실수 a, b의 대소를 비교하려면 $a-b$의 $\boxed{①}$ 를 조사한다.

답 ① 부호

1 다음 중 옳은 것을 모두 고르면? (정답 2개)

① $\sqrt{5}\sqrt{7}=35$

② $(-\sqrt{2})\times(-\sqrt{7})=-\sqrt{14}$

③ $\sqrt{15}\times\sqrt{\dfrac{2}{5}}=\sqrt{6}$

④ $\dfrac{\sqrt{15}}{\sqrt{5}}=3$

⑤ $\sqrt{56}\div\sqrt{14}=2$

2 $\sqrt{63}=a\sqrt{7}$, $\dfrac{\sqrt{3}}{6}=\sqrt{b}$일 때, ab의 값은?

(단, a, b는 유리수)

① $\dfrac{1}{6}$ ② $\dfrac{1}{4}$ ③ $\dfrac{1}{2}$

④ $\dfrac{3}{4}$ ⑤ $\dfrac{3}{2}$

3 $\dfrac{2\sqrt{2}}{\sqrt{5}}=a\sqrt{10}$일 때, 유리수 a의 값은?

① $\dfrac{2}{5}$ ② $\dfrac{4}{5}$ ③ 2

④ $\dfrac{9}{4}$ ⑤ $\dfrac{5}{2}$

4 $\sqrt{2}=1.414$, $\sqrt{20}=4.472$일 때, 다음 중 옳은 것은?

① $\sqrt{0.002}=0.4472$

② $\sqrt{0.2}=0.1414$

③ $\sqrt{200}=44.72$

④ $\sqrt{2000}=447.2$

⑤ $\sqrt{20000}=141.4$

소수점은 $\sqrt{}$ 안에서 두 자리씩 이동하지.

5 $3\sqrt{12}-\sqrt{24}-\dfrac{6}{\sqrt{3}}+\sqrt{54}$ 를 간단히 하면?

① $3\sqrt{3}-\sqrt{6}$ ② $4\sqrt{3}+\sqrt{6}$

③ $3\sqrt{3}+\sqrt{6}$ ④ $4\sqrt{3}+5\sqrt{6}$

⑤ $3\sqrt{3}+5\sqrt{6}$

6 다음을 계산하면?

$$(2\sqrt{18}-\sqrt{32})\div\sqrt{(-3)^2}\times\dfrac{3\sqrt{3}}{4}$$

① $-\dfrac{\sqrt{6}}{4}$ ② $\dfrac{\sqrt{6}}{4}$ ③ $\dfrac{\sqrt{6}}{2}$

④ $\sqrt{6}$ ⑤ $\dfrac{3\sqrt{6}}{2}$

7 $\sqrt{5}(3\sqrt{5}-10)-5(1-a\sqrt{5})$ 가 유리수가 되도록 하는 유리수 a의 값은?

① 2 ② 4 ③ 6

④ 8 ⑤ 10

8 다음 중 두 실수의 대소 관계가 옳은 것은?

① $2\sqrt{2}<\sqrt{7}$

② $\sqrt{3}+\sqrt{2}>5\sqrt{2}-\sqrt{3}$

③ $7\sqrt{3}-1<3+5\sqrt{3}$

④ $3\sqrt{2}>7-\sqrt{2}$

⑤ $3\sqrt{2}-2<-2+2\sqrt{3}$

4일 다항식의 곱셈

아니, 곱셈 공식 외워!

$(a+b)^2 = a^2 + 2ab + b^2$
$(a+b)(a-b) = a^2 - b^2$

주문 외워?

합의 제곱
$(a+b)^2 = a^2 + \underline{2ab} + b^2$
제곱 제곱 곱의 2배

차의 제곱
$(a-b)^2 = a^2 - \underline{2ab} + b^2$
제곱 제곱 곱의 2배

$(a+b)(a-b) = a^2 - b^2$
합 차 제곱의 차

$(x+a)(x+b) = x^2 + (a+b)x + ab$
합 곱

$(ax+b)(cx+d) = \underline{ac}x^2 + (\underline{ad+bc})x + \underline{bd}$

$(2x+1)(-2x+1)$
$= 4x^2 - 1$ ✗ 땡

항과 항 사이의 부호가 +, — 가 되도록 항의 자리를 바꿔!

$(2x+1)(-2x+1)$
$= (1+2x)(1-2x)$
$= 1 - 4x^2$

문자 y도 놓치지 말고 챙겨!

$(x+2y)(x+3y)$
$= x^2 + 5x + 6$ ✗ 땡!

$(x+2y)(x+3y)$
$= x^2 + (2y+3y)x + 2y \times 3y$
$= x^2 + 5xy + 6y^2$

이것만은 꼭꼭!

1. $(a+b)^2=a^2\,\boxed{❶}+b^2,\ (a-b)^2=a^2\,\boxed{❷}+b^2$

2. $(a+b)(a-b)=a^2\,\boxed{❸}\,b^2$

3. $(x+a)(x+b)=x^2+(\boxed{❹})x+\boxed{❺}$

4. $(ax+b)(cx+d)=acx^2+(\boxed{❻})x+bd$

답 ❶ $+2ab$ ❷ $-2ab$ ❸ $-$ ❹ $a+b$ ❺ ab ❻ $ad+bc$

4일 교과서 핵심 정리

핵심 1 다항식과 다항식의 곱셈

분배법칙을 이용하여 전개하고 ❶ [　　　]이 있으면 간단히 정리한다.

❶ 동류항

$$\rightarrow (a+b)(c+d) = ac + \boxed{❷} + bc + \boxed{❸}$$

❷ ad
❸ bd

[예] $(5x-1)(y+2) = 5x \times y + 5x \times 2 + (-1) \times y + (-1) \times 2 = 5xy + 10x - y - 2$

핵심 2 곱셈 공식

(1) $(a+b)^2 = a^2 + \boxed{❹} + b^2$

❹ $2ab$

[참고] $(a+b)^2 = (a+b)(a+b) = a^2 + ab + ba + b^2 = a^2 + 2ab + b^2$

[예] $(x+3)^2 = x^2 + 2 \times x \times 3 + 3^2 = x^2 + 6x + 9$

(2) $(a-b)^2 = \boxed{❺} - 2ab + \boxed{❻}$

❺ a^2
❻ b^2

[참고] $(a-b)^2 = (a-b)(a-b) = a^2 - ab - ba + b^2 = a^2 - 2ab + b^2$

[예] $(x-3)^2 = x^2 - 2 \times x \times 3 + 3^2 = x^2 - 6x + 9$

(3) $(a+b)(a-b) = a^2 \boxed{❼} b^2$

❼ $-$

[참고] $(a+b)(a-b) = a^2 - ab + ba - b^2 = a^2 - b^2$

[예] $(x+1)(x-1) = x^2 - 1^2 = x^2 - 1$

(4) $(x+a)(x+b) = x^2 + (\boxed{❽})x + \boxed{❾}$

❽ $a+b$
❾ ab

[참고] $(x+a)(x+b) = x^2 + xb + ax + ab = x^2 + (a+b)x + ab$

[예] $(x+2)(x+3) = x^2 + (2+3)x + 2 \times 3 = x^2 + 5x + 6$

(5) $(ax+b)(cx+d) = acx^2 + (\boxed{❿})x + bd$

❿ $ad+bc$

[참고] $(ax+b)(cx+d) = acx^2 + axd + bcx + bd = acx^2 + (ad+bc)x + bd$

[예] $(2x+1)(5x+3) = (2 \times 5)x^2 + (2 \times 3 + 1 \times 5)x + 1 \times 3 = 10x^2 + 11x + 3$

시험지 속 개념 문제

정답과 풀이 **82쪽**

1 $(2x-y)(3x-2y-1)$의 전개식에서 xy의 계수는?

① -7 ② -4 ③ -3

④ 4 ⑤ 7

2 다음 식을 곱셈 공식을 이용하여 전개하시오.

(1) $(a+10)^2$ (2) $(2x-1)^2$

(3) $(-a+2)^2$ (4) $(-3x-2)^2$

3 다음 식을 곱셈 공식을 이용하여 전개하시오.

(1) $(a+3)(a-3)$

(2) $(-5a+2b)(-5a-2b)$

(3) $(2a+1)(-2a+1)$

(4) $\left(\dfrac{1}{3}x-4\right)\left(\dfrac{1}{3}x+4\right)$

4 다음 식을 곱셈 공식을 이용하여 전개하시오.

(1) $(x+5)(x+8)$

(2) $(a+6)(a-2)$

(3) $(x-3y)(x+6y)$

(4) $(3x+2)(2x+4)$

(5) $(2a+1)(a-3)$

(6) $(3x-2y)(5x-4y)$

5 다음 보기의 식에 대하여 학생의 물음에 답하시오.

보기
ㄱ $(x+7)^2=x^2+49$
ㄴ $(x-2y)^2=x^2-4xy+4y^2$
ㄷ $(x+3y)^2=x^2+6x+9$
ㄹ $(-x-3)^2=-x^2+6x+9$
ㅁ $(-3x+2y)^2=9x^2-12xy+4y^2$

잘못 전개한 식을 골라 바르게 전개해 봐.

핵심 3 곱셈 공식을 이용한 수의 계산

곱셈 공식을 이용하여 수의 계산을 편리하게 할 수 있다.

(1) 수의 제곱의 계산

① $(a+b)^2=a^2$ ❶ $2ab+b^2$ 이용

　❶ $+$

　　예 $51^2=(50+1)^2=50^2+2\times50\times1+1^2$
　　　　$=2500+100+1=2601$

② $(a-b)^2=a^2$ ❷ $2ab+b^2$ 이용

　❷ $-$

　　예 $49^2=(50-1)^2=50^2-2\times50\times1+1^2$
　　　　$=2500-100+1=2401$

(2) 두 수의 곱의 계산

① $(a+b)(a-b)=$ ❸ $-$ ❹ 이용

　❸ a^2

　❹ b^2

　　예 $51\times49=(50+1)(50-1)=50^2-1^2$
　　　　$=2500-1=2499$

② $(x+a)(x+b)=x^2+($ ❺ $)x+ab$ 이용

　❺ $a+b$

　　예 $51\times53=(50+1)(50+3)=50^2+(1+3)\times50+1\times3$
　　　　$=2500+200+3=2703$

(3) 곱셈 공식을 이용한 무리수의 계산

곱셈 공식을 이용하여 무리수를 계산할 때에는 제곱근을 ❻ 로 생각한다.

　❻ 문자

　　예 $(\sqrt{2}+1)(\sqrt{2}-1)=(\sqrt{2})^2-1^2=2-1=1$

핵심 4 곱셈 공식을 이용한 분모의 유리화

분모가 2개의 항으로 되어 있는 무리수일 때에는 곱셈 공식

$(a+b)(a-b)=$ ❼ 을 이용하여 분모를 유리화한다.

　❼ a^2-b^2

$a>0,\ b>0$일 때

(1) $\dfrac{c}{\sqrt{a}+\sqrt{b}}=\dfrac{c(\sqrt{a}-\sqrt{b})}{(\sqrt{a}+\sqrt{b})(}$ ❽ $)=\dfrac{c\sqrt{a}-c\sqrt{b}}{a-b}$

　❽ $\sqrt{a}-\sqrt{b}$

　　예 $\dfrac{1}{\sqrt{5}+\sqrt{2}}=\dfrac{\sqrt{5}-\sqrt{2}}{(\sqrt{5}+\sqrt{2})(\sqrt{5}-\sqrt{2})}=\dfrac{\sqrt{5}-\sqrt{2}}{5-2}=\dfrac{\sqrt{5}-\sqrt{2}}{3}$

(2) $\dfrac{c}{a+\sqrt{b}}=\dfrac{c(a-\sqrt{b})}{(a+\sqrt{b})(}$ ❾ $)=\dfrac{ca-c\sqrt{b}}{a^2-b}$

　❾ $a-\sqrt{b}$

시험지 속 개념 문제

정답과 풀이 **82쪽**

6 다음 □ 안에 알맞은 수를 써넣으시오.

(1) $101^2 = (100 + \boxed{})^2$

$\qquad = 100^2 + 2 \times 100 \times \boxed{} + \boxed{}^2$

$\qquad = \boxed{}$

(2) $83 \times 77 = (\boxed{} + 3)(\boxed{} - 3)$

$\qquad = 80^2 - \boxed{}^2$

$\qquad = \boxed{}$

7 곱셈 공식을 이용하여 다음을 계산하시오.

(1) 102^2

(2) 99^2

(3) 52×48

(4) 97×106

8 $(\sqrt{2} - \sqrt{3})^2$을 계산하면?

① $1 - 2\sqrt{6}$ ② -1 ③ $5 - 2\sqrt{6}$

④ 1 ⑤ $-1 + 2\sqrt{6}$

9 다음은 지원이가 $\dfrac{2}{\sqrt{3}+\sqrt{2}}$의 분모를 유리화한 것인데 틀렸다. 바르게 고치시오.

$$\frac{2}{\sqrt{3}+\sqrt{2}} = \frac{2}{(\sqrt{3}+\sqrt{2})(\sqrt{3}-\sqrt{2})}$$
$$= \frac{2}{3-2}$$
$$= 2$$

10 다음 수의 분모를 유리화하시오.

(1) $\dfrac{1}{\sqrt{5}-1}$

(2) $\dfrac{\sqrt{2}}{\sqrt{6}+\sqrt{2}}$

4일 교과서 기출 베스트 1회

대표 예제 1

$(ax+4y)(2x-3y+1)$의 전개식에서 xy의 계수가 17일 때, 상수 a의 값을 구하시오.

분배법칙을 이용해서 전개하려고 했는데 항이 너무 많아.

xy항이 나오는 부분만 전개해!

🧭 **개념 가이드**

다항식과 다항식의 곱셈은 분배법칙을 이용하여 전개하고
① ☐ 이 있으면 간단히 정리한다.

🔴답 ① 동류항

대표 예제 2

다음 중 옳은 것은?

① $(a+2)(2b+3)=2ab+3a+4b+5$
② $(x-3y)^2=x^2-12xy+9y^2$
③ $(-1-a)(-1+a)=1-a^2$
④ $(x-5)(x+3)=x^2+2x-15$
⑤ $(3x-y)(4x-2y)=7x^2-10xy+2y^2$

🧭 **개념 가이드**

• $(a+b)^2=a^2+2ab+b^2$, $(a-b)^2=a^2-2ab+b^2$
• $(a+b)(a-b)=a^2-b^2$
• $(x+a)(x+b)=x^2+(a+b)x+$ ①☐
• $(ax+b)(cx+d)=acx^2+($ ②☐ $)x+bd$

🔴답 ① ab ② $ad+bc$

대표 예제 3

다음은 곱셈 공식을 이용하여 식을 전개한 것이다. 이때 $a+b$의 값은? (단, a, b는 상수)

$$(x+a)^2=x^2-6x+9$$
$$(2x+3)(x+b)=2x^2+7x+6$$

① -3 ② -1 ③ 1
④ 3 ⑤ 5

🧭 **개념 가이드**

곱셈 공식을 이용하여 좌변을 전개한 후, 좌변과 우변의 각 항의
① ☐ 와 상수를 각각 비교한다.

🔴답 ① 계수

대표 예제 4

오른쪽 그림은 가로의 길이가 $3x$이고, 세로의 길이가 $4x$인 직사각형을 4개의 작은 직사각형으로 나눈 것이다. 이때 색칠한 부분의 넓이는?

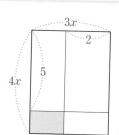

① $12x^2-23x+10$
② $12x^2-26x+10$
③ $12x^2+26x+10$
④ $15x^2+7x+12$
⑤ $8x-10$

🧭 **개념 가이드**

(직사각형의 넓이)=(가로의 길이)×(①☐)

🔴답 ① 세로의 길이

대표 예제 **5**

$(4x-1)(3x+1)+(x+3)(3x-2)$를 간단히 하였을 때, x의 계수는?

① -8 ② -6 ③ 1

④ 6 ⑤ 8

개념 가이드

곱셈 공식을 이용하여 전개한 후, ① [　　　]끼리 모아서 간단히 한다. 답 ① 동류항

대표 예제 **6**

다음 중 곱셈 공식 $(a+b)(a-b)=a^2-b^2$을 이용하여 계산하면 편리한 것을 모두 고르면? (정답 2개)

① 48×52 ② 97^2

③ 78×87 ④ 101^2

⑤ 101×99

개념 가이드

• 수의 제곱의 계산
  ➡ $($ ① [　　　] $)^2=a^2+2ab+b^2$ 또는
  $(a-b)^2=a^2-2ab+b^2$을 이용
• 두 수의 곱의 계산
  ➡ $(a+b)($ ② [　　　] $)=a^2-b^2$ 또는
  $(x+a)(x+b)=x^2+(a+b)x+ab$를 이용
  답 ① $a+b$ ② $a-b$

대표 예제 **7**

$\dfrac{\sqrt{6}}{\sqrt{6}-\sqrt{3}}=a+b\sqrt{2}$일 때, $a+b$의 값은?

(단, a, b는 유리수)

① 1 ② 2 ③ 3

④ 4 ⑤ 5

개념 가이드

분모를 유리화할 때 분모, 분자에 곱해야 하는 수는 다음과 같다.

[분모]	[곱해야 하는 수]
• $a+\sqrt{b}$	➡ $a-\sqrt{b}$
• $a-\sqrt{b}$	➡ a ① [　] $\sqrt{b}$
• $\sqrt{a}+\sqrt{b}$	➡ $\sqrt{a}$ ② [　] $\sqrt{b}$
• $\sqrt{a}-\sqrt{b}$	➡ $\sqrt{a}+\sqrt{b}$

답 ① $+$ ② $-$

대표 예제 **8**

$x=2+\sqrt{3}$, $y=2-\sqrt{3}$일 때, $xy+\dfrac{y}{x}$의 값은?

① $8-4\sqrt{3}$ ② $8-2\sqrt{6}$

③ 12 ④ $8+2\sqrt{6}$

⑤ $8+4\sqrt{3}$

개념 가이드

주어진 식에 x, y의 값을 ① [　　　]하여 식의 값을 구한다. 답 ① 대입

1 $(x-3y)(5x+2)$의 전개식에서 x^2의 계수를 A, y의 계수를 B라고 할 때, $A+B$의 값은?

① -5 ② -1 ③ 5

④ 11 ⑤ 17

3 $(5x+a)(bx+3)=10x^2+cx-9$일 때, $a+b+c$의 값은? (단, a, b, c는 상수)

① 8 ② 10 ③ 12

④ 14 ⑤ 16

2 다음 중 옳은 것을 모두 고르면? (정답 2개)

① $(a+b)^2=a^2-2ab+b^2$

② $(-x-y)(-x+y)=x^2-y^2$

③ $(x+3)(x-7)=x^2+4x-21$

④ $(a-b)(c+d)=ac+ad-bc-bd$

⑤ $(3x-1)(2y+1)=6xy-3x+2y-1$

4 다음 그림과 같이 한 변의 길이가 a인 정사각형에서 가로의 길이는 b만큼 늘이고 세로의 길이는 $2b$만큼 줄였다. 이때 새로운 직사각형의 넓이는?

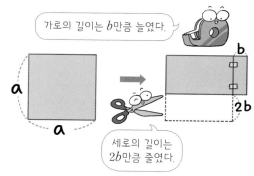

가로의 길이는 b만큼 늘었다.

세로의 길이는 $2b$만큼 줄였다.

① a^2+ab ② a^2-b^2

③ $a^2+ab-2b^2$ ④ $a^2-ab-2b^2$

⑤ $a^2+3ab+2b^2$

5 $(3x+1)(2x-3)-2(x+1)(x-1)=ax^2+bx+c$
일 때, $a-b-c$의 값은? (단, a, b, c는 상수)

① 5   ② 7   ③ 12

④ 15   ⑤ 21

6 다음은 곱셈 공식을 이용하여 $\dfrac{995 \times 1005 + 25}{1000}$를
계산하는 과정이다. ☐ 안에 알맞은 수를 써넣으시
오.

$$\frac{995 \times 1005 + 25}{1000}$$

$$= \frac{(1000-\boxed{})(1000+\boxed{})+25}{1000}$$

$$= \frac{1000^2 - \boxed{}^2 + 25}{1000}$$

$$= \frac{\boxed{}^2}{1000} = \boxed{}$$

7 $\dfrac{3}{\sqrt{10}-\sqrt{7}} + \dfrac{3}{\sqrt{10}+\sqrt{7}}$ 을 간단히 하면?

① $\sqrt{7}$ ② $\sqrt{10}$ ③ $2\sqrt{7}$

④ $2\sqrt{10}$ ⑤ $3\sqrt{7}$

8 $x=2+\sqrt{5}, y=2-\sqrt{5}$일 때, $\dfrac{1}{x}+\dfrac{1}{y}$의 값을 구하시
오.

공부할 내용

❶ 인수와 인수분해
❷ 인수분해 공식
❸ 완전제곱식
❹ 인수분해 공식을 이용한 수의 계산

이것만은 꼭꼭!

1. $a^2+2ab+b^2=(a+b)^2$, $a^2-2ab+b^2=($ ❶ $)^2$

2. x^2+ax+b가 완전제곱식이 되기 위한 b의 조건 ➡ $b=($ ❷ $)^2$

3. $a^2-b^2=(a+b)($ ❸ $)$

4. $x^2+(a+b)x+ab=(x+a)($ ❹ $)$

5. $acx^2+(ad+bc)x+bd=(ax+b)($ ❺ $)$

답 ❶ $a-b$ ❷ $\dfrac{a}{2}$ ❸ $a-b$ ❹ $x+b$ ❺ $cx+d$

교과서 핵심 정리

핵심 1 인수와 인수분해

(1) **인수** : 하나의 다항식을 두 개 이상의 다항식의 $\boxed{①}$ 으로 나타낼 때, 각각의 다항식

(2) **인수분해** : 하나의 다항식을 두 개 이상의 $\boxed{②}$ 의 곱으로 나타내는 것

$$\Rightarrow x^2+5x+6 \underset{\xrightarrow{\text{전개}}}{\xleftarrow{\text{인수분해}}} (x+2)(x+3)$$
인수

참고 모든 다항식에서 1과 자기 자신은 그 다항식의 인수이다.

(3) **공통인 인수를 이용한 인수분해**

　　분배법칙을 이용하여 $\boxed{③}$ 인 인수를 묶어 내어 인수분해한다.

　　$\Rightarrow ma+mb=m(a+b)$

　　참고 인수분해할 때에는 공통인 인수가 남지 않도록 모두 묶어 낸다.

❶ 곱

❷ 인수

❸ 공통

핵심 2 인수분해 공식 (1)

(1) $a^2+2ab+b^2=\boxed{④}$

(2) $a^2-2ab+b^2=\boxed{⑤}$

예 ① $a^2+4a+4=a^2+2\times a\times 2+2^2=(a+2)^2$

　　② $a^2-6a+9=a^2-2\times a\times 3+3^2=(a-3)^2$

❹ $(a+b)^2$

❺ $(a-b)^2$

핵심 3 완전제곱식

(1) **완전제곱식** : 어떤 다항식의 $\boxed{⑥}$ 으로 된 식 또는 이 식에 수를 곱한 식

예 $(a+b)^2, 3(a-b)^2, -\dfrac{1}{2}(2x-3y)^2$

❻ 제곱

(2) **완전제곱식이 되기 위한 조건**

① x^2+ax+b가 완전제곱식이 되기 위한 b의 조건

　　$\Rightarrow b=\left(\boxed{⑦}\right)^2$

② x^2+ax+b가 완전제곱식이 되기 위한 a의 조건

　　$\Rightarrow a=\pm\boxed{⑧}$

참고 x^2의 계수가 1이 아닐 때에는 $a^2\pm2ab+b^2$의 꼴의 인수분해를 이용한다.

예 $9x^2+\blacksquare xy+16y^2=(3x)^2+\blacksquare xy+(\pm4y)^2$이므로

　　$\blacksquare=2\times3\times(\pm4)=\pm2\times3\times4=\pm24$

❼ $\dfrac{a}{2}$

❽ $2\sqrt{b}$

시험지 속 개념 문제

정답과 풀이 **85쪽**

1 다음 중 $4x(x-3y)$의 인수가 <u>아닌</u> 것은?

① 4　　　　② $4x$　　　　③ $x-3y$

④ $x(x-3y)$　　⑤ $-12xy$

2 다음은 선미와 진영이가 다항식을 인수분해한 것이다. 틀린 부분을 찾아 바르게 고치시오.

$$2a^2-4ab=a(2a-4b)$$

$$5xy^2+xy=x(5y^2+y)$$

선미　　　진영

3 $x^2-12x+36$을 인수분해하면?

① $(x-6)^2$　　　　② $(x-3)^2$

③ $(x+3)^2$　　　　④ $(x+6)^2$

⑤ $(x+6)(x-6)$

4 다음 식을 인수분해하시오.

(1) $9x^2-24x+16$

(2) $4a^2-4ab+b^2$

(3) $25x^2+30xy+9y^2$

5 $x^2-14x+k$가 완전제곱식이 되도록 하는 상수 k의 값은?

① 25　　　② 49　　　③ 81

④ 144　　⑤ 196

6 $16x^2-Axy+25y^2$이 완전제곱식이 되도록 하는 양수 A의 값은?

① 8　　　② 10　　　③ 20

④ 40　　⑤ 60

핵심 4 인수분해 공식 (2)

(1) $a^2-b^2=(a+b)(\boxed{❶})$

　예 ① $a^2-25=a^2-5^2=(a+5)(a-5)$

　　② $4x^2-9y^2=(2x)^2-(3y)^2=(\boxed{❷})(2x-3y)$

(2) $x^2+(a+b)x+ab=(\boxed{❸})(x+b)$

　예 $x^2+4x+3=x^2+(1+3)x+1\times3$

　　　　　$=(\boxed{❹})(x+3)$

(3) $acx^2+(ad+bc)x+bd=(\boxed{❺})(cx+d)$

　예 $2x^2+9x-5$에서

　　$ac=2, ad+bc=9, bd=-5$인 네 정수

　　a, b, c, d를 찾으면 오른쪽과 같으므로

　　$2x^2+9x-5=(x+5)(\boxed{❻})$

$$\begin{array}{c}2x^2+9x-5 \\ 1 \quad\searrow\nearrow\quad 5 \to 10 \\ 2 \quad\nearrow\searrow\quad -1 \to \underline{-1}(+ \\ \qquad\qquad\qquad 9 \end{array}$$

주의 모든 항에 공통으로 들어 있는 인수가 있으면 공통인 인수로 먼저 묶어 낸 후 인수분해 공식을 이용한다.

제곱의 차는
합과 차의 곱!
간단하네요!!

먼저 공통인 인수로
묶어 내야 해.

핵심 5 인수분해 공식을 이용한 수의 계산

인수분해 공식을 이용하여 수의 계산을 편리하게 할 수 있다.

(1) $ma+mb=\boxed{❼}(a+b)$ 이용

　예 $18\times2.5+18\times7.5=18\times(2.5+7.5)=18\times10=180$

(2) $a^2+2ab+b^2=(\boxed{❽})^2, a^2-2ab+b^2=(\boxed{❾})^2$ 이용

　예 $35^2+2\times35\times5+5^2=(35+5)^2=40^2=1600$

(3) $a^2-b^2=(\boxed{❿})(a-b)$ 이용

　예 $\dfrac{1}{4}\times61^2-\dfrac{1}{4}\times39^2=\dfrac{1}{4}\times(61^2-39^2)=\dfrac{1}{4}\times(61+39)(61-39)$

　　　　　　　　　　　$=\dfrac{1}{4}\times100\times22=550$

❶ $a-b$

❷ $2x+3y$

❸ $x+a$

❹ $x+1$

❺ $ax+b$

❻ $2x-1$

❼ m

❽ $a+b$

❾ $a-b$

❿ $a+b$

시험지 속 개념 문제

7 다음 식을 인수분해하시오.

(1) x^2-36

(2) a^2-9b^2

(3) $49x^2-4y^2$

8 $64a^2-4b^2$을 인수분해하면?

① $(8a+2b)(8a-2b)$ ② $4(a+4)(b-4)$

③ $4(a+2b)(a-2b)$ ④ $4(2a+b)(2a-b)$

⑤ $4(4a+b)(4a-b)$

9 다음 식을 인수분해하시오.

(1) x^2+7x+6

(2) $x^2+3x-10$

(3) $x^2-3xy-28y^2$

10 다음 식을 인수분해하시오.

(1) $2x^2-x-6$

(2) $10x^2+11x-6$

(3) $3x^2-7xy+2y^2$

11 $6x^2-22x+12$를 인수분해하면?

① $2(x-3)(3x-2)$ ② $2(x-6)(3x-1)$

③ $3(x-4)(2x-1)$ ④ $6(x-1)(x-2)$

⑤ $(3x-4)(2x-3)$

12 인수분해 공식을 이용하여 97^2-3^2을 계산하시오.

$97=a,\ 3=b$로 생각하면
$$97^2-3^2=a^2-b^2$$
$$=(a+b)(a-b)$$

대표 예제 1

다음 중 $ab^2(a+2)$의 인수가 적혀 있는 카드가 <u>아닌</u> 것을 모두 고르시오.

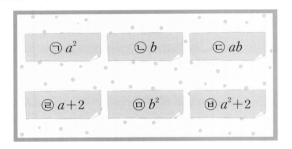

ㄱ a^2 ㄴ b ㄷ ab

ㄹ $a+2$ ㅁ b^2 ㅂ a^2+2

개념 가이드

하나의 다항식을 두 개 이상의 다항식의 곱으로 나타낼 때, 각각의 다항식을 ① [   ]라고 한다.

답 ① 인수

대표 예제 2

다음 중 두 다항식 x^2+x+A, $\frac{1}{4}x^2+Bx+25$가 각각 완전제곱식이 되도록 하는 A와 B의 값이 바르게 짝 지어진 것은? (단, A, B는 상수)

① $A=\pm\frac{1}{4}$, $B=5$ ② $A=\frac{1}{4}$, $B=\pm5$

③ $A=\pm1$, $B=\frac{5}{2}$ ④ $A=1$, $B=\pm\frac{5}{2}$

⑤ $A=\pm4$, $B=10$

개념 가이드

• $x^2+ax+\blacksquare$가 완전제곱식이 되려면 $\blacksquare=\left(\dfrac{①\ \boxed{}}{}\right)^2$

• $(ax)^2+\blacksquare x+b^2$이 완전제곱식이 되려면 $\blacksquare=\pm$ ② [   ]

답 ① $\dfrac{a}{2}$ ② $2ab$

대표 예제 3

다음 중 바르게 인수분해한 것은?

① $x^2-2x+1=(x-1)(x+2)$

② $4x^2-9y^2=(2x-3y)^2$

③ $x^2-3x-4=(x-4)(x+1)$

④ $2x^2-5x-3=(x+3)(2x-1)$

⑤ $4x^2-20x+25=(x-5)(4x-5)$

개념 가이드

• $a^2+2ab+b^2=(a+b)^2$, $a^2-2ab+b^2=(a-b)^2$

• $a^2-b^2=(a+b)($ ① [   ] $)$

• $x^2+(a+b)x+ab=($ ② [   ] $)(x+b)$

• $acx^2+(ad+bc)x+bd=(ax+b)(cx+d)$

답 ① $a-b$ ② $x+a$

대표 예제 4

$x^2+2x-15$가 x의 계수가 1인 두 일차식의 곱으로 인수분해될 때, 두 일차식의 합은?

① $2x-8$ ② $2x-2$ ③ $2x+2$

④ $2x+6$ ⑤ $2x+8$

개념 가이드

일차식은 차수가 ① [   ]인 다항식이므로 $x+a$, $x+b$(단, a, b는 상수)는 모두 ② [   ]차식이다.

답 ① 1 ② 일

대표 예제 **5**

$x^2+Ax+18=(x+B)(x-2)$일 때, $A+B$의 값은? (단, A, B는 상수)

① -18 ② -20 ③ -22

④ -24 ⑤ -26

개념 가이드

인수분해 공식을 이용하거나 우변을 전개한 후 좌변과 우변의 각 항의 ① [ ]와 상수를 각각 비교한다.

답 ① 계수

대표 예제 **6**

인수분해 공식을 이용하여 $6.5^2 \times 1.14 - 3.5^2 \times 1.14$를 계산하면?

① 30.6 ② 32.8 ③ 34.2

④ 36.4 ⑤ 38.6

개념 가이드

복잡한 수의 계산을 할 때, 주어진 식을 ① [ ]한 후 계산하면 편리하다.

• $ma-mb=$ ② [ ]$(a-b)$

• $a^2-b^2=(a+b)(a-b)$

답 ① 인수분해 ② m

대표 예제 **7**

다음을 구하시오.

(1) $a=\sqrt{5}-\sqrt{2}$, $b=\sqrt{5}+\sqrt{2}$일 때, a^2-b^2의 값

(2) $a=2+\sqrt{3}$일 때, a^2-4a+4의 값

개념 가이드

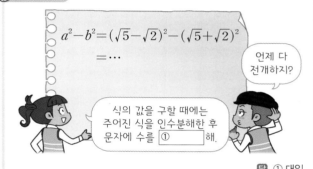

$a^2-b^2=(\sqrt{5}-\sqrt{2})^2-(\sqrt{5}+\sqrt{2})^2$
$= \cdots$

언제 다 전개하지?

식의 값을 구할 때에는 주어진 식을 인수분해한 후 문자에 수를 ① [ ]해.

답 ① 대입

대표 예제 **8**

다음 그림과 같이 넓이가 각각 x^2, x, 1인 세 종류의 직사각형 6개를 서로 겹치지 않게 붙여서 큰 직사각형 하나를 만들려고 한다. 이때 큰 직사각형의 둘레의 길이를 구하시오.

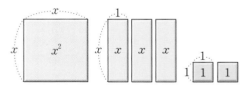

개념 가이드

• 큰 직사각형의 넓이는 6개의 직사각형의 넓이의 ① [ ]과 같다.

• (직사각형의 넓이)=(가로의 길이)×(② [ ])

답 ① 합 ② 세로의 길이

1 다음 중 $3x^2+6xy$의 인수가 <u>아닌</u> 것은?

① x ② $3x^2$ ③ $x+2y$

④ $3x+6y$ ⑤ x^2+2xy

2 다음 두 다항식이 각각 완전제곱식이 되도록 하는 두 상수 p, q에 대하여 $p+q$의 값은? (단, $q<0$)

$$x^2-8x+P \qquad 4x^2+qx+25$$

① -8 ② -4 ③ 0

④ 4 ⑤ 8

3 다음 중 인수분해한 것이 옳지 <u>않은</u> 것은?

① $6x^2+3x=3x(2x+1)$

② $x^2-5x+4=(x-1)(x-4)$

③ $36x^2-9y^2=9(2x+y)(2x-y)$

④ $x^2+10x+9=(x+3)^2$

⑤ $2x^2-3x-9=(x-3)(2x+3)$

4 $4x^2-13x+10$이 x의 계수가 자연수인 두 일차식의 곱으로 인수분해될 때, 두 일차식의 합은?

① $5x-7$ ② $5x-3$ ③ $5x$

④ $5x+3$ ⑤ $5x+7$

5 $3x^2+ax-6=(x-3)(bx+2)$일 때, $a+b$의 값은? (단, a, b는 상수)

① -4 ② -2 ③ -1

④ 2 ⑤ 4

6 인수분해 공식을 이용하여 $1.53 \times 5.5^2 - 1.53 \times 4.5^2$을 계산하면?

① 0.0153 ② 0.153 ③ 1.53

④ 15.3 ⑤ 153

7 $x=\sqrt{10}+3$, $y=\sqrt{10}-3$일 때, x^2y-xy^2의 값은?

① 1 ② 3 ③ 6

④ 10 ⑤ 15

8 가로의 길이가 $x+1$인 직사각형의 넓이가 $2x^2+5x+3$일 때, 이 직사각형의 둘레의 길이는?

① $2x+3$ ② $3x+4$ ③ $4x+8$

④ $5x+4$ ⑤ $6x+8$

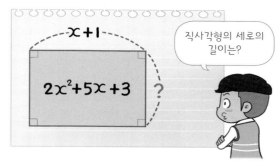

직사각형의 세로의 길이는?

1 다음 중 ☐ 안에 들어갈 수를 차례대로 적은 것은?

> 5의 제곱근은 ☐이고, 제곱근 5는 ☐이다.

① $\pm\sqrt{5}, \pm\sqrt{5}$ ② $\pm\sqrt{5}, \sqrt{5}$
③ $\sqrt{5}, \pm\sqrt{5}$ ④ $\sqrt{5}, -\sqrt{5}$
⑤ $\sqrt{5}, \sqrt{5}$

2 다음 보기의 수를 ㉠~㉣ 중 해당하는 영역에 써넣으시오.

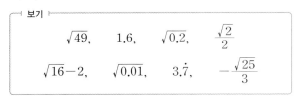

> ┤ 보기 ├
>
> $\sqrt{49}$,   1.6, $\sqrt{0.2}$, $\dfrac{\sqrt{2}}{2}$
>
> $\sqrt{16}-2$, $\sqrt{0.01}$, $3.\dot{7}$, $-\dfrac{\sqrt{25}}{3}$

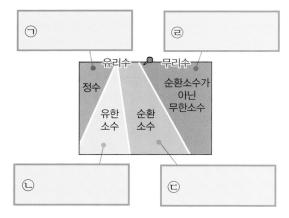

3 다음 중 옳지 <u>않은</u> 것은?

① 순환소수가 아닌 무한소수는 무리수이다.
② $\sqrt{9}=3$이므로 $\sqrt{9}$는 무리수이면서 유리수이다.
③ 실수는 유리수와 무리수로 이루어져 있다.
④ 0과 1 사이에는 무수히 많은 무리수가 있다.
⑤ 수직선 위의 한 점에는 하나의 실수가 반드시 대응한다.

4 다음 중 두 실수의 대소 관계가 옳은 것은?

① $3<\sqrt{8}$ ② $-\sqrt{11}>-\sqrt{10}$
③ $3+\sqrt{3}<\sqrt{4}$ ④ $4+\sqrt{3}<4+\sqrt{7}$
⑤ $2\sqrt{2}-1<\sqrt{3}-1$

5 다음 중 옳은 것은?

① $-\sqrt{(-3)^2}=3$ ② $\sqrt{2^4}=4$
③ $\sqrt{250}=50$ ④ $\dfrac{6}{\sqrt{3}}=\sqrt{2}$
⑤ $\sqrt{2}+\sqrt{3}=\sqrt{5}$

6 $\sqrt{6} \times \sqrt{5} \div \sqrt{3}$을 간단히 하면?

① $\sqrt{2}$ ② $\sqrt{3}$ ③ $\sqrt{5}$

④ $\sqrt{6}$ ⑤ $\sqrt{10}$

7 $\sqrt{3.11} = 1.764$, $\sqrt{31.1} = 5.577$일 때, $\sqrt{0.0311}$의 값은?

① 0.01764 ② 0.1764 ③ 0.5577

④ 17.64 ⑤ 55.77

8 $6\sqrt{3} + 10\sqrt{2} - 2\sqrt{27} + \sqrt{8}$을 간단히 하면?

① $-5\sqrt{3}$ ② $12\sqrt{2}$ ③ $\sqrt{2} - 12\sqrt{3}$

④ $8\sqrt{2} - 4\sqrt{3}$ ⑤ $16\sqrt{2} - 4\sqrt{3}$

9 $\sqrt{32} - \sqrt{12} + \dfrac{6\sqrt{6}}{\sqrt{3}} - \dfrac{4}{\sqrt{2}} = a\sqrt{2} + b\sqrt{3}$일 때, $a - b$의 값은? (단, a, b는 유리수)

① -2 ② 2 ③ 6

④ 10 ⑤ 14

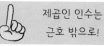

제곱인 인수는 근호 밖으로! $\sqrt{a^2 b} = a\sqrt{b}$

분모는 유리화! $\dfrac{a}{\sqrt{b}} = \dfrac{a \times \sqrt{b}}{\sqrt{b} \times \sqrt{b}} = \dfrac{a\sqrt{b}}{b}$

근호 안의 수가 같은 것끼리 계산! $m\sqrt{a} + n\sqrt{a} = (m+n)\sqrt{a}$

10 다음 그림과 같이 한 눈금의 길이가 1인 모눈종이 위에 수직선과 직각삼각형 ABC를 그리고, 점 A를 중심으로 하고 $\overline{AC}$를 반지름으로 하는 원을 그렸다. 원과 수직선이 만나는 두 점 P, Q에 대응하는 수를 각각 a, b라고 할 때, 물음에 답하시오.

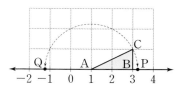

(1) $\overline{AC}$의 길이를 구하시오.

(2) a, b의 값을 각각 구하시오.

(3) $a + b$의 값을 구하시오.

1 다음 중 옳은 것은?

① $(3x-2y)^2=9x^2-4y^2$

② $(x+3y)^2=x^2+6x+9$

③ $(x+1)(x+3)=x^2+4x-3$

④ $(2x+3)(2x-3)=4x^2-12x-9$

⑤ $(3x+2y)(x-6y)=3x^2-16xy-12y^2$

2 $(x-6)^2+(x+2)(x-3)=Ax^2-13x+B$일 때, $A-B$의 값은? (단, A, B는 상수)

① -40　　② -32　　③ -28

④ 28　　⑤ 32

3 다음 수의 계산에서 이용하면 가장 편리한 곱셈 공식을 보기에서 고르고, 그 공식을 이용하여 계산하시오.

> ┤ 보기 ├
> ㉠ $(a+b)^2=a^2+2ab+b^2$
> ㉡ $(a-b)^2=a^2-2ab+b^2$
> ㉢ $(a+b)(a-b)=a^2-b^2$
> ㉣ $(x+a)(x+b)=x^2+(a+b)x+ab$

(1) 98×102

(2) 103^2

4 $(2\sqrt{2}-3)^2=m+n\sqrt{2}$일 때, $m+n$의 값은?

(단, m, n은 유리수)

① -28　　② -5　　③ -1

④ 5　　⑤ 29

$(2\sqrt{2}-3)^2=(2\sqrt{2}-3)(2\sqrt{2}-3)$

$=(2\sqrt{2})^2-\cdots$

$=\cdots$

$2\sqrt{2}=a,\ 3=b$

제곱근을 문자로 생각하고 곱셈 공식을 이용해.

5 다음 중 $6x^2y+8xy$의 인수가 <u>아닌</u> 것은?

① 2　　② xy　　③ $2xy+4$

④ $3x+4$　　⑤ $2xy(3x+4)$

6 $4x^2-12xy+9y^2=(Ax+By)^2$일 때, AB의 값은?
(단, A, B는 상수)

① -36 ② -18 ③ -6

④ 6 ⑤ 18

7 $x^2+12x+A$가 완전제곱식이 되도록 하는 상수 A의 값은?

① 16 ② 36 ③ 64

④ 100 ⑤ 144

8 다음 그림의 대화에서 소년의 질문에 대한 소녀의 대답으로 옳은 것은?

① $(x+3)(x+5)$ ② $(x+3)(x-5)$

③ $(x-3)(x+5)$ ④ $(x-3)(x-5)$

⑤ $2(x-3)(x+5)$

9 다음 두 학생의 대화에서 주리가 이용한 인수분해 공식으로 알맞은 것은?

① $a^2+2ab+b^2=(a+b)^2$

② $a^2-2ab+b^2=(a-b)^2$

③ $a^2-b^2=(a+b)(a-b)$

④ $x^2+(a+b)x+ab=(x+a)(x+b)$

⑤ $acx^2+(ad+bc)x+bd=(ax+b)(cx+d)$

10 $x=\dfrac{1}{\sqrt{5}+2}$일 때, x^2+4x+4의 값은?

① $\sqrt{5}-2$ ② $9-4\sqrt{5}$ ③ $9-2\sqrt{5}$

④ 5 ⑤ 10

1 오른쪽 그림과 같이 밑면의 가로의 길이와 세로의 길이가 각각 $\sqrt{6}$ cm, $2\sqrt{2}$ cm인 직육면체의 부피가 $2\sqrt{30}$ cm³일 때, 이 직육면체의 높이를 구하시오.

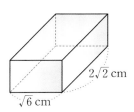

풀이

답 _____

2 다음 그림과 같이 한 눈금의 길이가 1인 모눈종이 위에 수직선과 직각삼각형 ABC를 그리고, 점 A를 중심으로 하고 $\overline{AC}$를 반지름으로 하는 원을 그렸다. 원과 수직선이 만나는 두 점을 각각 P, Q라고 할 때, $\overline{QP}$의 길이를 구하시오.

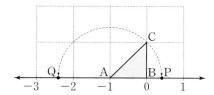

풀이

답 _____

3 다음 두 학생의 대화를 읽고, 물음에 답하시오.

$(x+2)(x-5)$를 전개하는데 2를 잘못 보고 전개했어.

그래서 결과가 어떻게 나왔는데?

x^2-x-20이 나왔어.

그럼 2를 뭐로 잘못 본 걸까?

기억이 나지 않아.

2를 A로 잘못 보았다고 하고 $(x+A)(x-5)$를 전개하면 알 수 있어.

이때 $(x+A)(x-5)$를 전개하면 x^2-x-20이니까 A의 값을 구할 수 있지.

(1) $(x+2)(x-5)$를 전개하는데 2를 A로 잘못 보았다고 할 때, $(x+A)(x-5)$를 전개하시오.

(2) 상수 A의 값을 구하시오.

풀이

답 _____

4 $(Ax-6)(-4x+B)=-12x^2+Cx-30$일 때, $A+B+C$의 값을 구하시오. (단, A, B, C는 상수)

풀이

답 _____

5 $a=\dfrac{1}{\sqrt{5}+2}$, $b=\dfrac{1}{\sqrt{5}-2}$일 때, 다음 물음에 답하시오.

(1) a의 분모를 유리화하시오.

(2) b의 분모를 유리화하시오.

(3) $a^2+2ab+b^2$을 인수분해하시오.

(4) $a^2+2ab+b^2$의 값을 구하시오.

풀이

답 _____

6 다음 그림의 두 도형 (가), (나)의 넓이가 같을 때, 물음에 답하시오.

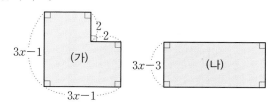

(1) 도형 (가)의 넓이를 x의 계수가 자연수인 두 일차식의 곱으로 나타내시오.

(2) 도형 (나)의 세로의 길이가 $3x-3$일 때, 가로의 길이를 구하시오.

풀이

답 _____

1 다음 중 우리 생활 주변에서 무리수가 나타나는 예를 잘못 말한 학생을 고르고, 그 이유를 말하시오.

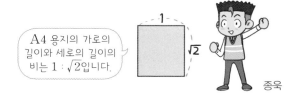

A4 용지의 가로의 길이와 세로의 길이의 비는 1 : $\sqrt{2}$입니다.

종욱

바이올린의 몸체의 길이와 몸체 이외의 길이의 비는 1.6180339… : 1입니다.

이화

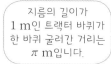

지름의 길이가 1 m인 트랙터 바퀴가 한 바퀴 굴러간 거리는 π m입니다.

준석

넓이가 25 cm²인 정사각형 모양의 색종이의 한 변의 길이는 $\sqrt{25}$ cm 입니다.

세정

2 다음 우진이의 일기를 읽고, 물음에 답하시오.

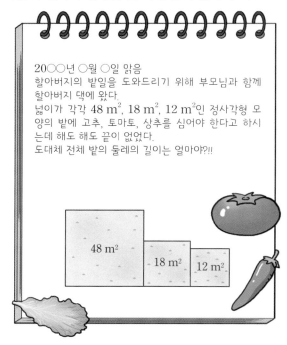

20○○년 ○월 ○일 맑음
할아버지의 밭일을 도와드리기 위해 부모님과 함께 할아버지 댁에 왔다.
넓이가 각각 48 m², 18 m², 12 m²인 정사각형 모양의 밭에 고추, 토마토, 상추를 심어야 한다고 하시는데 해도 해도 끝이 없었다.
도대체 전체 밭의 둘레의 길이는 얼마야?!!

48 m²   18 m²   12 m²

(1) 넓이가 48 m²인 정사각형 모양의 고추 밭의 한 변의 길이를 구하시오.

(2) 넓이가 18 m²인 정사각형 모양의 토마토 밭의 한 변의 길이를 구하시오.

(3) 넓이가 12 m²인 정사각형 모양의 상추 밭의 한 변의 길이를 구하시오.

(4) 전체 밭의 둘레의 길이를 구하시오.

3 다음은 시완이와 세경이가 다항식 $8ma+4mb$를 인수분해한 것이다. 각각 <u>틀린</u> 부분을 찾아 그 이유를 설명하고, 바르게 인수분해하시오.

$$8ma+4mb$$
$$=2m(4a+2b)$$

시완

$$8ma+4mb$$
$$=4(2ma+mb)$$

세경

4 다음 그림과 같이 넓이가 각각 x^2, x, 1인 세 종류의 직사각형 9개를 서로 겹치지 않게 붙여서 세로의 길이가 $x+2$인 직사각형을 만들었다. 물음에 답하시오.

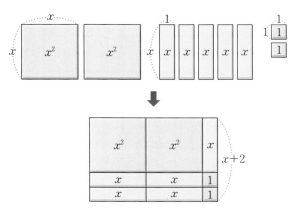

(1) 새로 만든 직사각형의 넓이를 구하시오.

(2) (1)의 다항식을 인수분해하시오.

(3) 새로 만든 직사각형의 가로의 길이를 구하시오.

(4) 새로 만든 직사각형의 둘레의 길이를 구하시오.

1 다음 중 옳게 말한 학생을 모두 고른 것은?

선겸: $\sqrt{36}$의 제곱근은 $\pm\sqrt{6}$이다.

미주: 16의 제곱근은 4이다.

영하: -3은 $\sqrt{81}$의 음의 제곱근이다.

단아: 음이 아닌 수의 제곱근은 2개이다.

① 선겸, 미주   ② 선겸, 영하   ③ 선겸, 단아
④ 미주, 영하   ⑤ 영하, 단아

2 $\sqrt{0.25} \div \sqrt{(-5)^2}$을 간단히 하면?

① 0.01   ② 0.1   ③ 1
④ 10   ⑤ 100

3 $\sqrt{24-n}$이 자연수가 되도록 하는 가장 작은 자연수 n의 값은?

① 1   ② 2   ③ 4
④ 8   ⑤ 15

4 다음 그림은 한 변의 길이가 1인 정사각형 3개를 수직선 위에 그린 것이다. 각 정사각형의 대각선을 반지름으로 하는 원을 그려 수직선과 만나는 점을 각각 A, B, C, D, E라고 할 때, $-1-\sqrt{2}$에 대응하는 점은?

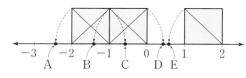

① A   ② B   ③ C
④ D   ⑤ E

5 $\sqrt{108} \div 3\sqrt{3} \times \sqrt{48} = a\sqrt{3}$일 때, 유리수 a의 값은?

① 2   ② 4   ③ 6
④ 8   ⑤ 10

6 $\sqrt{5}=2.236$, $\sqrt{50}=7.071$일 때, $\sqrt{500}$의 값은?

① 0.7071   ② 22.36   ③ 70.71

④ 223.6   ⑤ 707.1

7 다음 중 옳은 것은?

① $4\sqrt{5}+2\sqrt{5}=8\sqrt{5}$

② $5\sqrt{3}-\sqrt{48}=-\sqrt{3}$

③ $\sqrt{32}-\dfrac{7}{\sqrt{2}}=-\dfrac{3\sqrt{2}}{2}$

④ $3\sqrt{5}-3\div\sqrt{5}=\dfrac{13\sqrt{5}}{5}$

⑤ $\sqrt{6}(\sqrt{3}-\sqrt{2})+\sqrt{12}=3\sqrt{2}$

8 다음 중 세 실수 a, b, c의 대소 관계를 바르게 나타낸 것은?

$$a=4-\sqrt{3}, \quad b=2, \quad c=1+\sqrt{3}$$

① $a<b<c$ ② $a<c<b$

③ $b<a<c$ ④ $b<c<a$

⑤ $c<a<b$

9 다음 중 옳은 것은?

① $(x+1)^2=x^2+1$

② $(x-3)^2=x^2-9$

③ $(x+2y)(x-2y)=x^2-4y^2$

④ $(x-5)(x+2)=x^2+3x-10$

⑤ $(5x+2)(x-3)=5x^2+13x-6$

10 다음은 곱셈 공식을 이용하여 식을 전개한 것이다. 이때 $a+b$의 값은? (단, a, b는 상수)

$$(x+a)^2=x^2-8x+16$$
$$(3x-1)(x+b)=3x^2+5x-2$$

① -4 ② -2 ③ 0

④ 2   ⑤ 4

11 $(2x+a)^2-(x-3)(x+1)$을 간단히 하면 x의 계수가 10이다. 이때 상수 a의 값은?

① -3 ② -1 ③ 2

④ 3   ⑤ 5

12 곱셈 공식을 이용하여 $\dfrac{1021\times1025+4}{1023}$ 를 계산하면?

① 1021   ② 1023   ③ 1021^2

④ 1023^2 ⑤ 1025^2

13 $16x^2+Ax+\dfrac{1}{4}$이 완전제곱식이 되도록 하는 양수 A의 값은?

① 3   ② 4   ③ 5

④ 6   ⑤ 7

14 다음 중 $x+1$을 인수로 갖지 <u>않는</u> 것은?

① x^2-x ② x^2-x-2

③ x^2-3x-4 ④ x^2+2x+1

⑤ x^2-1

15 다음 중 물감이 쏟아진 부분에 알맞은 수가 나머지 넷과 <u>다른</u> 하나는?

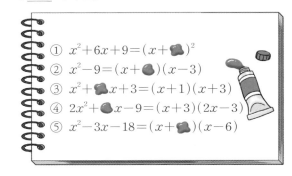

① $x^2+6x+9=(x+🍞)^2$

② $x^2-9=(x+⚫)(x-3)$

③ $x^2+⚫x+3=(x+1)(x+3)$

④ $2x^2+⚫x-9=(x+3)(2x-3)$

⑤ $x^2-3x-18=(x+🍞)(x-6)$

16 $3x^2-11x-20$이 x의 계수가 자연수인 두 일차식의 곱으로 인수분해될 때, 두 일차식의 합은?

① $2x-1$ ② $4x+1$ ③ $4x-1$

④ $4x+9$ ⑤ $4x-9$

17 인수분해 공식을 이용하여 $35 \times 3.5^2 - 35 \times 2.5^2$을 계산하면?

① 150　　　② 180　　　③ 210

④ 630　　　⑤ 1260

서술형

19 오른쪽 그림과 같은 직육면체의 겉넓이를 ax^2+bx+c라고 할 때, $a+b+c$의 값을 구하시오.

(단, a, b, c는 상수)

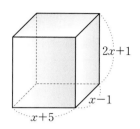

$2x+1$

$x-1$

$x+5$

서술형

18 $\sqrt{5}(4-\sqrt{5}) + \dfrac{3(\sqrt{5}-5)}{2\sqrt{5}}$ 를 간단히 하시오.

서술형

20 $x = \dfrac{2+\sqrt{3}}{2-\sqrt{3}}$일 때, $x^2-14x+49$의 값을 구하시오.

분모를 유리화해서 내 모양을 간단하게 바꿔.

인수분해하면 우리도 간단해지지.

1 다음 중 옳은 것은?

① $\sqrt{144}$의 음의 제곱근은 -12이다.

② 36의 제곱근은 6이다.

③ $\sqrt{16}=\pm4$

④ 0의 제곱근은 한 개이다.

⑤ -16의 양의 제곱근은 4이다.

2 $\sqrt{(-8)^2}\div(-\sqrt{2})^2+\sqrt{49}$를 간단히 하면?

① 3　　　　② 5　　　　③ 7

④ 9　　　　⑤ 11

3 $\sqrt{120x}$가 자연수가 되도록 하는 가장 작은 자연수 x의 값은?

① 10　　　　② 15　　　　③ 20

④ 30　　　　⑤ 60

4 다음 그림은 한 눈금의 길이가 1인 모눈종이 위에 수직선과 정사각형 ABCD를 그린 것이다. $\overline{\text{CB}}=\overline{\text{CP}}$일 때, 점 P에 대응하는 수는?

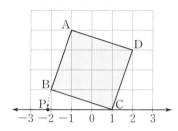

① $-\sqrt{10}$　　② $1-\sqrt{2}$　　③ $1-\sqrt{3}$

④ $1-\sqrt{5}$　　⑤ $1-\sqrt{10}$

기준점의 왼쪽에 있으면 $k-\sqrt{a}$

기준점의 오른쪽에 있으면 $k+\sqrt{a}$

$k-\sqrt{a}$　k　$k+\sqrt{a}$

기준점

5 $\sqrt{24}\times\sqrt{63}\div\sqrt{27}=2\sqrt{a}$일 때, 유리수 a의 값은?

① 3　　　　② 5　　　　③ 7

④ 14　　　　⑤ 17

6 $\sqrt{3.45}=1.857$, $\sqrt{34.5}=5.874$일 때, 다음 중 제곱근의 값을 바르게 구한 학생을 고르시오.

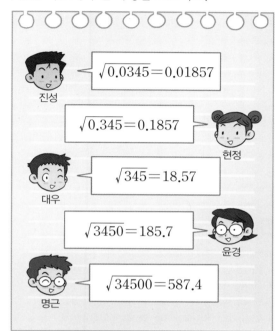

진성 : $\sqrt{0.0345}=0.01857$

현정 : $\sqrt{0.345}=0.1857$

대우 : $\sqrt{345}=18.57$

윤경 : $\sqrt{3450}=185.7$

명근 : $\sqrt{34500}=587.4$

7 다음 중 옳지 <u>않은</u> 것은?
① $\sqrt{2}+\sqrt{2}=2\sqrt{2}$
② $\sqrt{28}-4\sqrt{7}=-2\sqrt{7}$
③ $\sqrt{27}-\dfrac{5}{\sqrt{3}}=\dfrac{\sqrt{3}}{3}$
④ $5\sqrt{3}+2\sqrt{6}\div\sqrt{2}=7\sqrt{3}$
⑤ $\sqrt{24}-\sqrt{2}(5+2\sqrt{3})=-5\sqrt{2}$

8 다음 중 두 실수의 대소 관계가 옳은 것은?
① $-\sqrt{3^2}<-\sqrt{4^2}$
② $1-\sqrt{2}<1-\sqrt{3}$
③ $4\sqrt{3}<7$
④ $3\sqrt{2}+4<2\sqrt{3}+4$
⑤ $3\sqrt{3}<\sqrt{3}+2$

9 다음 중 옳지 <u>않은</u> 것은?
① $a(x-y)=ax-ay$
② $(x-7)^2=x^2-14x+49$
③ $\left(a+\dfrac{1}{4}\right)^2=a^2+a+\dfrac{1}{16}$
④ $(a+9)(a-9)=a^2-81$
⑤ $(3x-1)(x+2)=3x^2+5x-2$

10 $(3x-a)(bx+4)=15x^2+cx-8$일 때, $a+b+c$의 값은? (단, a, b, c는 상수)
① 9   ② 10   ③ 11
④ 12   ⑤ 13

11 $(3x-a)^2-(2x+5)(-x+1)$을 간단히 하면 x의 계수가 -3이다. 이때 상수 a의 값은?

① -2 ② -1 ③ 0

④ 1 ⑤ 2

12 $(2\sqrt{5}+1)(3\sqrt{5}-2)$를 간단히 하면?

① $28-\sqrt{5}$ ② $32-\sqrt{5}$ ③ $28+\sqrt{5}$

④ $32+\sqrt{5}$ ⑤ $32+2\sqrt{5}$

13 두 다항식 x^2-5x+a, $4x^2+bx+49$가 모두 완전제곱식이 될 때, $4a+b$의 값은? (단, a, b는 상수, $b<0$)

① -51 ② -22 ③ -3

④ 22 ⑤ 72

14 다음 중 두 다항식 $x^2-7x+12$, x^2-16을 각각 인수분해할 때, 공통으로 들어 있는 인수를 고르시오.

     ㉠ $x-4$ ㉡ $x-3$

     ㉢ $x+2$ ㉣ $x+4$

15 다음 중 ☐ 안에 알맞은 수가 가장 큰 것은?

① $x^2-64=(x+8)(x-☐)$

② $9a^2+30a+25=(3a+☐)^2$

③ $x^2-7x+☐=(x-1)(x-6)$

④ $x^2-☐x+18=(x-2)(x-9)$

⑤ $2x^2-xy-6y^2=(x-2y)(☐x+3y)$

16 $2(x-3)^2+x-6$이 x의 계수가 자연수인 두 일차식의 곱으로 인수분해될 때, 두 일차식의 합은?

① $3x-7$ ② $3x-2$ ③ $3x-1$

④ $3x+2$ ⑤ $3x+7$

식의 전개 → 동류항끼리 간단히 → 인수분해

17 다음 중 두 자연수 a, b의 값을 바르게 구한 것은?

$$a = 97 \times 103$$
$$b = 129 \times 3.45 - 29 \times 3.45$$

① $a = 9821, b = 345$

② $a = 9821, b = 3450$

③ $a = 9991, b = 34$

④ $a = 9991, b = 345$

⑤ $a = 9991, b = 3450$

서술형

18 $(6 - 2\sqrt{3}) \div \sqrt{2} + \sqrt{2}(\sqrt{12} - 1)$을 간단히 하시오.

서술형

19 밑면의 가로의 길이가 $3x - 1$, 세로의 길이가 $x + 4$ 이고 높이가 $2x + 3$인 직육면체의 겉넓이가 $ax^2 + bx + c$일 때, $a - b + c$의 값을 구하시오.

(단, a, b, c는 상수)

서술형

20 $x = \dfrac{1}{3 + 2\sqrt{2}}$, $y = \dfrac{1}{3 - 2\sqrt{2}}$일 때, 다음 물음에 답하시오.

(1) x의 분모를 유리화하시오.

(2) y의 분모를 유리화하시오.

(3) xy, $x - y$의 값을 각각 구하시오.

(4) $x^2 y - xy^2$의 값을 구하시오.

memo

정답과 풀이

1일 제곱근의 성질

시험지 속 개념 문제 | 9쪽, 11쪽

1 (1) 6, -6 (2) 11, -11 (3) $\dfrac{4}{5}$, $-\dfrac{4}{5}$ (4) 0.7, -0.7

2 지선

3 ③

4 (1) × (2) ○ (3) ○ (4) × (5) × (6) ×

5 ②

6 (1) 11 (2) 11 (3) 11 (4) 11

7 ③

8 (1) $-2a$ (2) $2a$ (3) $-2a$ (4) $2a$

9 (1) < (2) > (3) >

10 (1) < (2) > (3) >

1 (1) $6^2=36$, $(-6)^2=36$이므로 36의 제곱근은 6, -6이다.

(2) $11^2=121$, $(-11)^2=121$이므로 121의 제곱근은 11, -11이다.

(3) $\left(\dfrac{4}{5}\right)^2=\dfrac{16}{25}$, $\left(-\dfrac{4}{5}\right)^2=\dfrac{16}{25}$이므로 $\dfrac{16}{25}$의 제곱근은 $\dfrac{4}{5}$, $-\dfrac{4}{5}$이다.

(4) $0.7^2=0.49$, $(-0.7)^2=0.49$이므로 0.49의 제곱근은 0.7, -0.7이다.

2 $x^2=13$이므로 바르게 나타낸 학생은 지선이다.

3 ① 3의 제곱근은 $\pm\sqrt{3}$이다.

② 7의 제곱근은 $\pm\sqrt{7}$이다.

④ 5의 제곱근은 $\pm\sqrt{5}$이고 제곱근 5는 $\sqrt{5}$이다.

⑤ 양의 제곱근과 음의 제곱근은 다른 값이다.

4 (1) 0의 제곱근은 0이다.

(4) 16의 제곱근은 ±4이다.

(5) $\dfrac{1}{2}$의 제곱근은 $\pm\sqrt{\dfrac{1}{2}}$이다.

(6) 양수의 제곱근은 2개이지만 0의 제곱근은 1개이고 음수의 제곱근은 없다.

5 ② $\sqrt{7}$

7 ① $-\sqrt{3^2}=-3$

② $-(\sqrt{3})^2=-3$

③ $(-\sqrt{3})^2=3$

④ $-(-\sqrt{3})^2=-3$

⑤ $-\sqrt{(-3)^2}=-3$

따라서 나머지 넷과 다른 하나는 ③이다.

8 (1) $a<0$이므로 $2a<0$

$\therefore \sqrt{(2a)^2}=-2a$

(2) $a<0$이므로 $2a<0$

$\therefore -\sqrt{(2a)^2}=-(-2a)=2a$

(3) $a<0$이므로 $-2a>0$

$\therefore \sqrt{(-2a)^2}=-2a$

(4) $a<0$이므로 $-2a>0$

$\therefore -\sqrt{(-2a)^2}=-(-2a)=2a$

9 (1) $8<10$이므로 $\sqrt{8}<\sqrt{10}$

(2) $5<6$이므로 $\sqrt{5}<\sqrt{6}$

$\therefore -\sqrt{5}>-\sqrt{6}$

(3) $\dfrac{1}{2}>\dfrac{1}{3}$이므로 $\sqrt{\dfrac{1}{2}}>\sqrt{\dfrac{1}{3}}$

10 (1) $4=\sqrt{16}$이고 $\sqrt{15}<\sqrt{16}$이므로 $\sqrt{15}<4$

(2) $0.5=\sqrt{0.25}$이고 $\sqrt{0.25}>\sqrt{0.2}$이므로 $0.5>\sqrt{0.2}$

(3) $\dfrac{1}{2}=\sqrt{\dfrac{1}{4}}$이고 $\sqrt{\dfrac{1}{4}}<\sqrt{\dfrac{1}{2}}$이므로 $\dfrac{1}{2}<\sqrt{\dfrac{1}{2}}$

$\therefore -\dfrac{1}{2}>-\sqrt{\dfrac{1}{2}}$

교과서 기출 베스트 ①회 | 12쪽~13쪽

| 1 ④ | 2 −7 | 3 ② | 4 ④ |
| 5 3, 3, 2, 6 | 6 ⑤ | 7 ⑤ | 8 7개 |

1 ① 음수의 제곱근은 없다.

② 9의 제곱근은 ±3이다.

③ 제곱근 2는 $\sqrt{2}$이다.

④ $\sqrt{16}=4$의 제곱근은 ±2이다.

⑤ $\sqrt{(-25)^2}=25$의 제곱근은 ±5이다.

따라서 옳은 것은 ④이다.

2 $(-4)^2=16$의 음의 제곱근은 -4이므로

$A=-4$

$\sqrt{81}=9$의 양의 제곱근은 3이므로

$B=3$

$\therefore A-B=-4-3=-7$

3 ① $\sqrt{5^2}=5$

③ $(-\sqrt{5})^2=5$

④ $-\sqrt{5^2}=-5$

⑤ $-\sqrt{(-5)^2}=-5$

4 ④ $a>0$이므로 $-a<0$

$\therefore \sqrt{(-a)^2}=-(-a)=a$

5 $24n=2^3\times3\times n$

이때 $\sqrt{24n}$이 자연수가 되려면 $n=2\times3\times(\text{자연수})^2$의 꼴이어야 하므로 소인수의 지수가 모두 짝수가 되도록 하는 가장 작은 자연수 n의 값은

$2\times3=6$

6 $\sqrt{100+x}$가 자연수가 되려면 $100+x$가 100보다 큰 $(\text{자연수})^2$의 꼴인 수이어야 하므로

$100+x=121, 144, 169, \cdots$

$\therefore x=21, 44, 69, \cdots$

따라서 가장 작은 자연수 x의 값은 21이다.

7 ① $3=\sqrt{9}$이고 $\sqrt{9}<\sqrt{10}$이므로 $3<\sqrt{10}$

② $2>1.5$이므로 $\sqrt{2}>\sqrt{1.5}$

③ $\dfrac{1}{2}=\sqrt{\dfrac{1}{4}}$이고 $\sqrt{\dfrac{1}{4}}<\sqrt{\dfrac{1}{3}}$이므로 $\dfrac{1}{2}<\sqrt{\dfrac{1}{3}}$

④ $4=\sqrt{16}$이고 $\sqrt{15}<\sqrt{16}$이므로 $\sqrt{15}<4$

$\therefore -\sqrt{15}>-4$

⑤ $\sqrt{\dfrac{1}{2}}>\sqrt{\dfrac{1}{3}}$이므로 $-\sqrt{\dfrac{1}{2}}<-\sqrt{\dfrac{1}{3}}$

따라서 대소 관계가 옳은 것은 ⑤이다.

8 $\sqrt{5x}<6$의 양변을 제곱하면

$5x<36$ $\therefore x<\dfrac{36}{5}$

따라서 이를 만족하는 자연수 x는 1, 2, 3, 4, 5, 6, 7의 7개이다.

교과서 기출 베스트 ②회 | 14쪽~15쪽

| 1 ⑤ | 2 ① | 3 ⑤ | 4 ① |
| 5 ③ | 6 15, 0, 15, 11 | 7 ③ | 8 12 |

1 ① 제곱근 13은 $\sqrt{13}$이다.

② 음수의 제곱근은 없다.

③ $\sqrt{36}=6$의 제곱근은 $\pm\sqrt{6}$이다.

④ $\sqrt{(-5)^2}=5$의 제곱근은 $\pm\sqrt{5}$이다.

⑤ $\sqrt{\dfrac{1}{16}}=\dfrac{1}{4}$의 양의 제곱근은 $\dfrac{1}{2}$이다.

따라서 옳은 것은 ⑤이다.

2 $\dfrac{9}{64}$의 음의 제곱근은 $-\dfrac{3}{8}$이므로

$A=-\dfrac{3}{8}$

$\sqrt{(-16)^2}=16$의 양의 제곱근은 4이므로

$B=4$

$\therefore AB=-\dfrac{3}{8}\times4=-\dfrac{3}{2}$

3 ① $\sqrt{4}+\sqrt{121}=2+11=13$

② $\sqrt{0.64}\times\sqrt{9}=0.8\times3=2.4$

③ $\sqrt{(-7)^2}-\sqrt{3^2}=7-3=4$

④ $\sqrt{(-18)^2}\div\sqrt{3^2}=18\div3=6$

⑤ $(-\sqrt{5})^2\times(\sqrt{6})^2=5\times6=30$

따라서 옳지 않은 것은 ⑤이다.

4 $a<0$이므로 $-3a>0,\ 2a<0$

$\therefore \sqrt{(-3a)^2}+\sqrt{4a^2}=\sqrt{(-3a)^2}+\sqrt{(2a)^2}$

$\qquad\qquad\qquad\qquad\ =-3a+(-2a)$

$\qquad\qquad\qquad\qquad\ =-5a$

5 $\sqrt{28n}=\sqrt{2^2\times7\times n}$이 자연수가 되려면

$n=7\times(자연수)^2$의 꼴이어야 한다.

따라서 가장 작은 자연수 n의 값은 7이다.

7 ① $4=\sqrt{16}$이고 $\sqrt{17}>\sqrt{16}$이므로 $\sqrt{17}>4$

② $\sqrt{6}<\sqrt{7}$이므로 $-\sqrt{6}>-\sqrt{7}$

③ $3=\sqrt{9}$이고 $\sqrt{9}>\sqrt{8}$이므로 $3>\sqrt{8}$

$\qquad\therefore -3<-\sqrt{8}$

④ $\dfrac{1}{3}=\sqrt{\dfrac{1}{9}}$이고 $\sqrt{\dfrac{1}{9}}>\sqrt{\dfrac{1}{10}}$이므로 $\dfrac{1}{3}>\sqrt{\dfrac{1}{10}}$

⑤ $\sqrt{4}=2$이고 $\dfrac{1}{4}<\dfrac{1}{2}$이므로 $\dfrac{1}{4}<\dfrac{1}{\sqrt{4}}$

따라서 대소 관계가 옳은 것은 ③이다.

8 $\sqrt{3x}<6$의 양변을 제곱하면

$3x<36 \qquad \therefore x<12$

따라서 이를 만족하는 자연수 x는 $1, 2, 3, \cdots, 11$이므로

$M=11,\ m=1$

$\therefore M+m=11+1=12$

2일 무리수와 실수

| 19쪽, 21쪽

시험지 속 개념 문제

1 (1) 무 (2) 유 (3) 무 (4) 무 (5) 유 (6) 유

2 (1) ◯ (2) × (3) ◯ (4) ◯

3 ①

4 (1) 1.732 (2) 1.766 (3) 1.800 (4) 1.852

5 $\sqrt{5}, \sqrt{5}, -1+\sqrt{5}$

6 $\sqrt{2}, \sqrt{2}, 3-\sqrt{2}, 3+\sqrt{2}$

7 (1) × (2) ◯ (3) ×

8 $3-\sqrt{5}, >, >, >$

9 (1) > (2) < (3) >

---

1 (2) $\sqrt{0.49}=0.7$이므로 유리수이다.
(6) $\sqrt{(-5)^2}=5$이므로 유리수이다.

2 (2) 순환소수는 모두 유리수이다.

3 잉크가 엎질러진 부분에 해당하는 수는 무리수이다.
② $-\sqrt{16}=-4$
④ $\sqrt{\dfrac{4}{25}}=\dfrac{2}{5}$
⑤ $\sqrt{1.44}=1.2$
따라서 무리수인 것은 ①이다.

7 (1) $\sqrt{5}$는 수직선 위에 나타낼 수 있다.
(3) 수직선은 유리수와 무리수, 즉 실수에 대응하는 점들로 완전히 메울 수 있다.

9 (1) $\sqrt{2}+1-2=\sqrt{2}-1=\sqrt{2}-\sqrt{1}>0$
　∴ $\sqrt{2}+1>2$
(2) $(\sqrt{3}-2)-(\sqrt{5}-2)=\sqrt{3}-\sqrt{5}<0$
　∴ $\sqrt{3}-2<\sqrt{5}-2$
(3) $(\sqrt{5}-\sqrt{6})-(2-\sqrt{6})=\sqrt{5}-2=\sqrt{5}-\sqrt{4}>0$
　∴ $\sqrt{5}-\sqrt{6}>2-\sqrt{6}$

교과서 기출 베스트 1일

| 22쪽~23쪽

1 준호　**2** ④　**3** ③　**4** $3-\sqrt{13}$

5 ②, ⑤　**6** ④, ⑤　**7** ①

8 $C<A<B$

---

1 $\sqrt{49}=7$이므로 무리수가 아닌 것을 적은 학생은 준호이다.

2 ④ $\sqrt{4}=2$와 같이 근호가 있다고 해서 모두 무리수인 것은 아니다.

3 ③ $\sqrt{1.93}=1.389$

4 피타고라스 정리에 의해 $\overline{AC}=\sqrt{2^2+3^2}=\sqrt{13}$
이때 점 C에 대응하는 수는 3이고 $\overline{PC}=\overline{AC}=\sqrt{13}$이므로 점 P에 대응하는 수는 $3-\sqrt{13}$이다.

5 ② $\sqrt{2}$와 $\sqrt{3}$ 사이에는 무수히 많은 무리수가 있다.
⑤ 수직선은 유리수와 무리수, 즉 실수에 대응하는 점들로 완전히 메울 수 있다.

6 $\sqrt{4}<\sqrt{5}<\sqrt{9}$, 즉 $2<\sqrt{5}<3$이므로
$-3<-\sqrt{5}<-2$
따라서 $-\sqrt{5}$와 1 사이에 있는 정수는 $-2, -1, 0$이다.

7 ① $\sqrt{3}+4-6=\sqrt{3}-2=\sqrt{3}-\sqrt{4}<0$
　∴ $\sqrt{3}+4<6$
② $5-(4-\sqrt{3})=1+\sqrt{3}>0$
　∴ $5>4-\sqrt{3}$
③ $(2-\sqrt{5})-(-\sqrt{7}+2)=-\sqrt{5}+\sqrt{7}>0$
　∴ $2-\sqrt{5}>-\sqrt{7}+2$

④ $(\sqrt{6}-4)-(-4+\sqrt{3})=\sqrt{6}-\sqrt{3}>0$

  $\therefore \sqrt{6}-4>-4+\sqrt{3}$

⑤ $(\sqrt{5}+\sqrt{13})-(\sqrt{11}+\sqrt{5})=\sqrt{13}-\sqrt{11}>0$

  $\therefore \sqrt{5}+\sqrt{13}>\sqrt{11}+\sqrt{5}$

따라서 대소 관계가 옳은 것은 ①이다.

8 $(2+\sqrt{7})-(\sqrt{5}+\sqrt{7})=2-\sqrt{5}=\sqrt{4}-\sqrt{5}<0$이므로

$2+\sqrt{7}<\sqrt{5}+\sqrt{7}$ $\therefore A<B$

$(2+\sqrt{7})-(2+\sqrt{5})=\sqrt{7}-\sqrt{5}>0$이므로

$2+\sqrt{7}>2+\sqrt{5}$ $\therefore A>C$

따라서 $A<B$이고 $C<A$이므로 $C<A<B$

교과서 기출 베스트 ② | 24쪽~25쪽

1 ②	**2** ③	**3** ④	**4** ②
5 ③	**6** ②, ③	**7** ⑤	**8** ⑤

1 ㉠ $\sqrt{9}+1=3+1=4$

㉢ $\sqrt{0.16}=0.4$

㉣ $-\sqrt{\dfrac{9}{16}}=-\dfrac{3}{4}$

㉫ $\sqrt{(-7)^2}=7$

따라서 무리수는 ㉡, ㉭의 2개이다.

2 ㉠ 무한소수 중에서 순환소수는 유리수이다.

㉣ $\dfrac{1}{3}$은 정수가 아니지만 유리수이다.

3 ① $\sqrt{3.42}=1.849$

② $\sqrt{3.5}=1.871$

③ $\sqrt{3.51}=1.873$

⑤ $\sqrt{3.73}=1.931$

4 피타고라스 정리에 의해 한 변의 길이가 1인 정사각형의 대각선의 길이는 $\sqrt{1^2+1^2}=\sqrt{2}$이므로 각 점의 좌표는 다음과 같다.

$A(-1-\sqrt{2})$, $B(-2+\sqrt{2})$, $C(1-\sqrt{2})$, $D(2-\sqrt{2})$, $E(1+\sqrt{2})$

따라서 $\sqrt{2}-2$에 대응하는 점은 B이다.

5 ③ -1과 $\sqrt{2}$ 사이에는 0, 1의 2개의 정수가 있다.

6 $\sqrt{4}<\sqrt{7}<\sqrt{9}$에서 $2<\sqrt{7}<3$

따라서 $2=\sqrt{4}$와 $\sqrt{7}$ 사이에 있는 수는 ②, ③이다.

7 ① $\sqrt{5}-3=\sqrt{5}-\sqrt{9}<0$

  $\therefore \sqrt{5}<3$

② $2+\sqrt{3}-4=\sqrt{3}-2=\sqrt{3}-\sqrt{4}<0$

  $\therefore 2+\sqrt{3}<4$

③ $-\sqrt{3}-(-\sqrt{2})=-\sqrt{3}+\sqrt{2}<0$

  $\therefore -\sqrt{3}<-\sqrt{2}$

④ $(\sqrt{7}+1)-(\sqrt{6}+1)=\sqrt{7}-\sqrt{6}>0$

  $\therefore \sqrt{7}+1>\sqrt{6}+1$

⑤ $(5-\sqrt{2})-(5-\sqrt{3})=-\sqrt{2}+\sqrt{3}>0$

  $\therefore 5-\sqrt{2}>5-\sqrt{3}$

따라서 대소 관계가 옳지 않은 것은 ⑤이다.

8 $(2+\sqrt{5})-(\sqrt{2}+\sqrt{5})=2-\sqrt{2}=\sqrt{4}-\sqrt{2}>0$이므로

$2+\sqrt{5}>\sqrt{2}+\sqrt{5}$ $\therefore a>b$

$(\sqrt{2}+\sqrt{5})-(\sqrt{2}+2)=\sqrt{5}-2=\sqrt{5}-\sqrt{4}>0$이므로

$\sqrt{2}+\sqrt{5}>\sqrt{2}+2$ $\therefore b>c$

따라서 $a>b$이고 $b>c$이므로 $c<b<a$

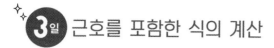 **근호를 포함한 식의 계산**

1 (1) $\sqrt{14}$ (2) $3\sqrt{2}$ (3) $\sqrt{6}$ (4) $-\sqrt{7}$

2 (1) $3\sqrt{5}$ (2) $-2\sqrt{2}$ (3) $10\sqrt{3}$ (4) $\dfrac{\sqrt{11}}{8}$

3 (1) $\sqrt{28}$ (2) $\sqrt{6}$ (3) $-\sqrt{48}$ (4) $-\sqrt{50}$

4 (1) $12\sqrt{5}$ (2) 4

5 (1) $\dfrac{\sqrt{6}}{2}$ (2) $\dfrac{\sqrt{5}}{3}$ (3) $-2\sqrt{15}$ (4) $\dfrac{3\sqrt{6}}{4}$

6 풀이 참조

7 (1) 100, 10 (2) 100, 10 (3) 10000, 100 (4) 100, 10
 (5) 100, 10 (6) 10000, 100

8 (1) × (2) × (3) ○ (4) ×

9 (1) $-4\sqrt{3}+\sqrt{5}$ (2) $9\sqrt{5}$ (3) $3\sqrt{5}$ (4) $\dfrac{7\sqrt{2}}{2}$ (5) $2\sqrt{3}-\sqrt{5}$

10 (1) $3\sqrt{2}-4\sqrt{3}$ (2) 7 (3) $\sqrt{10}$ (4) $8\sqrt{3}$ (5) $8\sqrt{3}-4\sqrt{6}$

1 (1) $\sqrt{2}\sqrt{7}=\sqrt{2\times7}=\sqrt{14}$

(2) $\sqrt{\dfrac{1}{3}}\times3\sqrt{6}=3\sqrt{\dfrac{1}{3}\times6}=3\sqrt{2}$

(3) $\sqrt{30}\div\sqrt{5}=\dfrac{\sqrt{30}}{\sqrt{5}}=\sqrt{\dfrac{30}{5}}=\sqrt{6}$

(4) $-\dfrac{\sqrt{42}}{\sqrt{6}}=-\sqrt{\dfrac{42}{6}}=-\sqrt{7}$

2 (1) $\sqrt{45}=\sqrt{3^2\times5}=3\sqrt{5}$

(2) $-\sqrt{8}=-\sqrt{2^2\times2}=-2\sqrt{2}$

(3) $\sqrt{300}=\sqrt{10^2\times3}=10\sqrt{3}$

(4) $\sqrt{\dfrac{11}{64}}=\sqrt{\dfrac{11}{8^2}}=\dfrac{\sqrt{11}}{8}$

3 (1) $2\sqrt{7}=\sqrt{2^2\times7}=\sqrt{28}$

(2) $3\sqrt{\dfrac{2}{3}}=\sqrt{3^2\times\dfrac{2}{3}}=\sqrt{6}$

(3) $-4\sqrt{3}=-\sqrt{4^2\times3}=-\sqrt{48}$

(4) $-5\sqrt{2}=-\sqrt{5^2\times2}=-\sqrt{50}$

4 (1) $2\sqrt{10}\times3\sqrt{2}=6\sqrt{20}=12\sqrt{5}$

(2) $4\sqrt{12}\div2\sqrt{3}=\dfrac{8\sqrt{3}}{2\sqrt{3}}=4$

5 (1) $\dfrac{\sqrt{3}}{\sqrt{2}}=\dfrac{\sqrt{3}\times\sqrt{2}}{\sqrt{2}\times\sqrt{2}}=\dfrac{\sqrt{6}}{2}$

(2) $\dfrac{5}{3\sqrt{5}}=\dfrac{5\times\sqrt{5}}{3\sqrt{5}\times\sqrt{5}}=\dfrac{5\sqrt{5}}{15}=\dfrac{\sqrt{5}}{3}$

(3) $-\dfrac{6\sqrt{5}}{\sqrt{3}}=-\dfrac{6\sqrt{5}\times\sqrt{3}}{\sqrt{3}\times\sqrt{3}}=-\dfrac{6\sqrt{15}}{3}=-2\sqrt{15}$

(4) $\dfrac{9}{\sqrt{24}}=\dfrac{9}{2\sqrt{6}}=\dfrac{9\times\sqrt{6}}{2\sqrt{6}\times\sqrt{6}}=\dfrac{9\sqrt{6}}{12}=\dfrac{3\sqrt{6}}{4}$

6 수영 : $\sqrt{20}=\sqrt{2^2\times5}=2\sqrt{5}$

준호 : $-3\sqrt{2}=-\sqrt{3^2\times2}=-\sqrt{18}$

민국 : $\dfrac{3}{\sqrt{2}}=\dfrac{3\times\sqrt{2}}{\sqrt{2}\times\sqrt{2}}=\dfrac{3\sqrt{2}}{2}$

8 (3) $\sqrt{8}-\sqrt{2}=2\sqrt{2}-\sqrt{2}=\sqrt{2}$

9 (1) $\sqrt{3}-2\sqrt{5}-5\sqrt{3}+3\sqrt{5}=-4\sqrt{3}+\sqrt{5}$

(2) $3\sqrt{20}+\sqrt{45}=6\sqrt{5}+3\sqrt{5}=9\sqrt{5}$

(3) $\sqrt{80}-3\sqrt{5}+\sqrt{20}=4\sqrt{5}-3\sqrt{5}+2\sqrt{5}$
$\qquad\qquad\qquad\quad=3\sqrt{5}$

(4) $\sqrt{32}+\sqrt{2}-\dfrac{3}{\sqrt{2}}=4\sqrt{2}+\sqrt{2}-\dfrac{3\sqrt{2}}{2}$
$\qquad\qquad\qquad\quad=\dfrac{7\sqrt{2}}{2}$

(5) $\sqrt{27}-\sqrt{45}-\dfrac{3}{\sqrt{3}}+\dfrac{10}{\sqrt{5}}$
$=3\sqrt{3}-3\sqrt{5}-\dfrac{3\sqrt{3}}{3}+\dfrac{10\sqrt{5}}{5}$
$=3\sqrt{3}-3\sqrt{5}-\sqrt{3}+2\sqrt{5}$
$=2\sqrt{3}-\sqrt{5}$

10 (1) $\sqrt{6}(\sqrt{3}-2\sqrt{2})=\sqrt{18}-2\sqrt{12}$
$\qquad\qquad\qquad\quad=3\sqrt{2}-4\sqrt{3}$

(2) $(\sqrt{75}+\sqrt{12})\div\sqrt{3}=\sqrt{25}+\sqrt{4}$
$\qquad\qquad\qquad\qquad=5+2=7$

(3) $\sqrt{6}\times\sqrt{5}\div\sqrt{3}=\sqrt{6}\times\sqrt{5}\times\dfrac{1}{\sqrt{3}}$
$\qquad\qquad\qquad\qquad=\sqrt{10}$

(4) $\sqrt{12}-9\div\sqrt{3}+\sqrt{243}=2\sqrt{3}-\dfrac{9}{\sqrt{3}}+9\sqrt{3}$
$\qquad\qquad\qquad\qquad\qquad=2\sqrt{3}-3\sqrt{3}+9\sqrt{3}$
$\qquad\qquad\qquad\qquad\qquad=8\sqrt{3}$

(5) $(6-\sqrt{18})\div\sqrt{3}-\sqrt{27}(\sqrt{2}-2)$
$\quad=\dfrac{6}{\sqrt{3}}-\sqrt{6}-3\sqrt{3}(\sqrt{2}-2)$
$\quad=2\sqrt{3}-\sqrt{6}-3\sqrt{6}+6\sqrt{3}$
$\quad=8\sqrt{3}-4\sqrt{6}$

교과서 기출 베스트 ①회 | 32쪽~33쪽

1 ⑤	2 ④	3 ②	4 ②
5 ①	6 ⑤	7 ②	8 ⑤

1 ① $\sqrt{5}\sqrt{6}=\sqrt{30}$
② $(-\sqrt{3})\times(-\sqrt{7})=\sqrt{21}$
③ $2\sqrt{5}\times3\sqrt{2}=6\sqrt{10}$
④ $(-\sqrt{3})\times(-\sqrt{5})=\sqrt{15}$
⑤ $4\sqrt{6}\div\sqrt{2}\times\sqrt{3}=4\sqrt{6}\times\dfrac{1}{\sqrt{2}}\times\sqrt{3}=12$

따라서 옳은 것은 ⑤이다.

2 $\sqrt{32}=\sqrt{4^2\times2}=4\sqrt{2}$이므로 $a=4$
$2\sqrt{3}=\sqrt{2^2\times3}=\sqrt{12}$이므로 $b=12$
$\therefore a+b=4+12=16$

3 ① $\dfrac{1}{\sqrt{5}}=\dfrac{1\times\sqrt{5}}{\sqrt{5}\times\sqrt{5}}=\dfrac{\sqrt{5}}{5}$

② $\dfrac{2}{\sqrt{2}}=\dfrac{2\times\sqrt{2}}{\sqrt{2}\times\sqrt{2}}=\dfrac{2\sqrt{2}}{2}=\sqrt{2}$

③ $\dfrac{\sqrt{7}}{\sqrt{3}}=\dfrac{\sqrt{7}\times\sqrt{3}}{\sqrt{3}\times\sqrt{3}}=\dfrac{\sqrt{21}}{3}$

④ $\dfrac{9}{4\sqrt{2}}=\dfrac{9\times\sqrt{2}}{4\sqrt{2}\times\sqrt{2}}=\dfrac{9\sqrt{2}}{8}$

⑤ $\dfrac{5}{\sqrt{12}}=\dfrac{5}{2\sqrt{3}}=\dfrac{5\times\sqrt{3}}{2\sqrt{3}\times\sqrt{3}}=\dfrac{5\sqrt{3}}{6}$

따라서 옳지 않은 것은 ②이다.

4 $\sqrt{4230}=\sqrt{100\times42.3}$
$\qquad\qquad=10\sqrt{42.3}$
$\qquad\qquad=10\times6.504$
$\qquad\qquad=65.04$

5 (주어진 식)$=5\sqrt{3}+2\sqrt{5}-3\sqrt{5}-4\sqrt{3}$
$\qquad\qquad\quad=\sqrt{3}-\sqrt{5}$

6 $\dfrac{4}{\sqrt{2}}(\sqrt{2}+\sqrt{12})+\dfrac{\sqrt{48}-\sqrt{72}}{\sqrt{3}}$
$=4+4\sqrt{6}+\sqrt{16}-\sqrt{24}$
$=4+4\sqrt{6}+4-2\sqrt{6}$
$=8+2\sqrt{6}$
$\therefore a=8,\ b=2$

7 (주어진 식)$=3\sqrt{5}-10+3a+a\sqrt{5}$
$\qquad\qquad\quad=-10+3a+(3+a)\sqrt{5}$
유리수가 되려면 $3+a=0$이어야 하므로
$a=-3$

8 ① $5-\sqrt{3}-3\sqrt{3}=5-4\sqrt{3}=\sqrt{25}-\sqrt{48}<0$
$\qquad\therefore 5-\sqrt{3}<3\sqrt{3}$
② $(2\sqrt{3}+1)-(\sqrt{3}-3)=\sqrt{3}+4>0$
$\qquad\therefore 2\sqrt{3}+1>\sqrt{3}-3$

③ $(3+\sqrt{5})-(\sqrt{5}+\sqrt{10})=3-\sqrt{10}=\sqrt{9}-\sqrt{10}<0$

$\quad\therefore 3+\sqrt{5}<\sqrt{5}+\sqrt{10}$

④ $(2\sqrt{2}-1)-(\sqrt{2}+1)=\sqrt{2}-2=\sqrt{2}-\sqrt{4}<0$

$\quad\therefore 2\sqrt{2}-1<\sqrt{2}+1$

⑤ $(2\sqrt{3}+1)-(3\sqrt{2}+1)=2\sqrt{3}-3\sqrt{2}=\sqrt{12}-\sqrt{18}<0$

$\quad\therefore 2\sqrt{3}+1<3\sqrt{2}+1$

따라서 대소 관계가 옳은 것은 ⑤이다.

교과서 기출 베스트 ②회　　　　| 34쪽~35쪽 |

1 ③, ⑤	2 ②	3 ①	4 ⑤
5 ②	6 ③	7 ①	8 ③

1 ① $\sqrt{5}\sqrt{7}=\sqrt{35}$

② $(-\sqrt{2})\times(-\sqrt{7})=\sqrt{14}$

③ $\sqrt{15}\times\sqrt{\dfrac{2}{5}}=\sqrt{15\times\dfrac{2}{5}}=\sqrt{6}$

④ $\dfrac{\sqrt{15}}{\sqrt{5}}=\sqrt{3}$

⑤ $\sqrt{56}\div\sqrt{14}=\sqrt{4}=2$

따라서 옳은 것은 ③, ⑤이다.

2 $\sqrt{63}=\sqrt{3^2\times7}=3\sqrt{7}$이므로 $a=3$

$\dfrac{\sqrt{3}}{6}=\sqrt{\dfrac{3}{6^2}}=\sqrt{\dfrac{1}{12}}$이므로 $b=\dfrac{1}{12}$

$\therefore ab=3\times\dfrac{1}{12}=\dfrac{1}{4}$

3 $\dfrac{2\sqrt{2}}{\sqrt{5}}=\dfrac{2\sqrt{2}\times\sqrt{5}}{\sqrt{5}\times\sqrt{5}}=\dfrac{2\sqrt{10}}{5}$이므로 $a=\dfrac{2}{5}$

4 ① $\sqrt{0.002}=\sqrt{\dfrac{20}{10000}}=\dfrac{\sqrt{20}}{100}$

$\qquad=\dfrac{4.472}{100}=0.04472$

② $\sqrt{0.2}=\sqrt{\dfrac{20}{100}}=\dfrac{\sqrt{20}}{10}$

$\qquad=\dfrac{4.472}{10}=0.4472$

③ $\sqrt{200}=\sqrt{100\times2}=10\sqrt{2}$

$\qquad=10\times1.414=14.14$

④ $\sqrt{2000}=\sqrt{100\times20}=10\sqrt{20}$

$\qquad=10\times4.472=44.72$

⑤ $\sqrt{20000}=\sqrt{10000\times2}=100\sqrt{2}$

$\qquad=100\times1.414=141.4$

따라서 옳은 것은 ⑤이다.

5 (주어진 식)$=6\sqrt{3}-2\sqrt{6}-2\sqrt{3}+3\sqrt{6}$

$\qquad=4\sqrt{3}+\sqrt{6}$

6 (주어진 식)$=(6\sqrt{2}-4\sqrt{2})\div3\times\dfrac{3\sqrt{3}}{4}$

$\qquad=2\sqrt{2}\times\dfrac{1}{3}\times\dfrac{3\sqrt{3}}{4}=\dfrac{\sqrt{6}}{2}$

7 (주어진 식)$=15-10\sqrt{5}-5+5a\sqrt{5}$

$\qquad=10+(5a-10)\sqrt{5}$

유리수가 되려면 $5a-10=0$이어야 하므로

$5a=10$　　$\therefore a=2$

8 ① $2\sqrt{2}-\sqrt{7}=\sqrt{8}-\sqrt{7}>0$

$\quad\therefore 2\sqrt{2}>\sqrt{7}$

② $(\sqrt{3}+\sqrt{2})-(5\sqrt{2}-\sqrt{3})=2\sqrt{3}-4\sqrt{2}$

$\qquad\qquad\qquad\qquad\qquad=\sqrt{12}-\sqrt{32}<0$

$\quad\therefore \sqrt{3}+\sqrt{2}<5\sqrt{2}-\sqrt{3}$

③ $(7\sqrt{3}-1)-(3+5\sqrt{3})=2\sqrt{3}-4=\sqrt{12}-\sqrt{16}<0$

$\quad\therefore 7\sqrt{3}-1<3+5\sqrt{3}$

④ $3\sqrt{2}-(7-\sqrt{2})=4\sqrt{2}-7=\sqrt{32}-\sqrt{49}<0$

$\quad\therefore 3\sqrt{2}<7-\sqrt{2}$

⑤ $(3\sqrt{2}-2)-(-2+2\sqrt{3})=3\sqrt{2}-2\sqrt{3}$
$$=\sqrt{18}-\sqrt{12}>0$$

∴ $3\sqrt{2}-2>-2+2\sqrt{3}$

따라서 대소 관계가 옳은 것은 ③이다.

4일 다항식의 곱셈

시험지 속 개념 문제 | 39쪽, 41쪽

1 ①

2 (1) $a^2+20a+100$ (2) $4x^2-4x+1$

(3) a^2-4a+4 (4) $9x^2+12x+4$

3 (1) a^2-9 (2) $25a^2-4b^2$ (3) $1-4a^2$ (4) $\dfrac{1}{9}x^2-16$

4 (1) $x^2+13x+40$ (2) $a^2+4a-12$ (3) $x^2+3xy-18y^2$

(4) $6x^2+16x+8$ (5) $2a^2-5a-3$ (6) $15x^2-22xy+8y^2$

5 풀이 참조

6 (1) 1, 1, 1, 10201 (2) 80, 80, 3, 6391

7 (1) 10404 (2) 9801 (3) 2496 (4) 10282

8 ③

9 풀이 참조

10 (1) $\dfrac{\sqrt{5}+1}{4}$ (2) $\dfrac{\sqrt{3}-1}{2}$

1 xy항이 나오는 부분만 계산하면

$2x \times (-2y)+(-y) \times 3x=-4xy-3xy=-7xy$

따라서 xy의 계수는 -7이다.

3 (3) $(2a+1)(-2a+1)=(1+2a)(1-2a)$
$$=1^2-(2a)^2$$
$$=1-4a^2$$

5 ㉠ $(x+7)^2=x^2+14x+49$

㉢ $(x+3y)^2=x^2+6xy+9y^2$

㉣ $(-x-3)^2=x^2+6x+9$

7 (1) $102^2=(100+2)^2=100^2+2 \times 100 \times 2+2^2$
$$=10000+400+4=10404$$

(2) $99^2=(100-1)^2=100^2-2 \times 100 \times 1+1^2$
$$=10000-200+1=9801$$

(3) $52 \times 48 = (50+2)(50-2) = 50^2 - 2^2$
$= 2500 - 4 = 2496$

(4) $97 \times 106 = (100-3)(100+6)$
$= 100^2 + (-3+6) \times 100 + (-3) \times 6$
$= 10000 + 300 - 18 = 10282$

8 $(\sqrt{2} - \sqrt{3})^2 = (\sqrt{2})^2 - 2 \times \sqrt{2} \times \sqrt{3} + (\sqrt{3})^2$
$= 2 - 2\sqrt{6} + 3 = 5 - 2\sqrt{6}$

9 $\dfrac{2}{\sqrt{3} + \sqrt{2}} = \dfrac{2(\sqrt{3} - \sqrt{2})}{(\sqrt{3} + \sqrt{2})(\sqrt{3} - \sqrt{2})}$
$= \dfrac{2(\sqrt{3} - \sqrt{2})}{3 - 2}$
$= 2(\sqrt{3} - \sqrt{2})$

10 (1) $\dfrac{1}{\sqrt{5} - 1} = \dfrac{\sqrt{5} + 1}{(\sqrt{5} - 1)(\sqrt{5} + 1)}$
$= \dfrac{\sqrt{5} + 1}{5 - 1} = \dfrac{\sqrt{5} + 1}{4}$

(2) $\dfrac{\sqrt{2}}{\sqrt{6} + \sqrt{2}} = \dfrac{\sqrt{2}(\sqrt{6} - \sqrt{2})}{(\sqrt{6} + \sqrt{2})(\sqrt{6} - \sqrt{2})}$
$= \dfrac{2\sqrt{3} - 2}{6 - 2} = \dfrac{\sqrt{3} - 1}{2}$

교과서 **기출 베스트 1**회 | *42쪽~43쪽*

1 -3	2 ③	3 ②	4 ①
5 ⑤	6 ①, ⑤	7 ③	8 ①

1 xy항이 나오는 부분만 계산하면
$ax \times (-3y) + 4y \times 2x = -3axy + 8xy$
$= (-3a + 8)xy$
즉 $-3a + 8 = 17$에서 $-3a = 9$ $\therefore a = -3$

2 ① $(a+2)(2b+3) = 2ab + 3a + 4b + 6$
② $(x-3y)^2 = x^2 - 6xy + 9y^2$
④ $(x-5)(x+3) = x^2 - 2x - 15$
⑤ $(3x-y)(4x-2y) = 12x^2 - 10xy + 2y^2$

3 $(x+a)^2 = x^2 + 2ax + a^2$이므로
$2a = -6, \ a^2 = 9$ $\therefore a = -3$
$(2x+3)(x+b) = 2x^2 + (2b+3)x + 3b$이므로
$2b + 3 = 7, \ 3b = 6$ $\therefore b = 2$
$\therefore a + b = -3 + 2 = -1$

4 색칠한 부분의 넓이는
$(3x-2)(4x-5) = 12x^2 - 23x + 10$

5 (주어진 식) $= (12x^2 + x - 1) + (3x^2 + 7x - 6)$
$= 15x^2 + 8x - 7$
따라서 x의 계수는 8이다.

6 ① $48 \times 52 = (50-2)(50+2)$ ← $(a+b)(a-b)$
② $97^2 = (100-3)^2$ ← $(a-b)^2$
③ $78 \times 87 = (80-2)(80+7)$ ← $(x+a)(x+b)$
④ $101^2 = (100+1)^2$ ← $(a+b)^2$
⑤ $101 \times 99 = (100+1)(100-1)$ ← $(a+b)(a-b)$
따라서 곱셈 공식 $(a+b)(a-b) = a^2 - b^2$을 이용하여
계산하면 편리한 것은 ①, ⑤이다.

7 $\dfrac{\sqrt{6}}{\sqrt{6} - \sqrt{3}} = \dfrac{\sqrt{6}(\sqrt{6} + \sqrt{3})}{(\sqrt{6} - \sqrt{3})(\sqrt{6} + \sqrt{3})}$
$= \dfrac{6 + 3\sqrt{2}}{6 - 3} = 2 + \sqrt{2}$

따라서 $a = 2, b = 1$이므로
$a + b = 2 + 1 = 3$

8 $xy=(2+\sqrt{3})(2-\sqrt{3})=4-3=1$

$\dfrac{y}{x}=\dfrac{2-\sqrt{3}}{2+\sqrt{3}}=\dfrac{(2-\sqrt{3})^2}{(2+\sqrt{3})(2-\sqrt{3})}$

$\quad=\dfrac{4-4\sqrt{3}+3}{4-3}=7-4\sqrt{3}$

$\therefore xy+\dfrac{y}{x}=1+(7-4\sqrt{3})=8-4\sqrt{3}$

교과서 기출 베스트 2회 | 44쪽~45쪽

1 ②	**2** ②, ④	**3** ①	**4** ④
5 ③	**6** 5, 5, 5, 1000, 1000		**7** ④
8 -4			

1 x^2항이 나오는 부분만 계산하면

$x\times5x=5x^2$

y항이 나오는 부분만 계산하면

$-3y\times2=-6y$

따라서 $A=5$, $B=-6$이므로

$A+B=5+(-6)=-1$

2 ① $(a+b)^2=a^2+2ab+b^2$

③ $(x+3)(x-7)=x^2-4x-21$

⑤ $(3x-1)(2y+1)=6xy+3x-2y-1$

3 $(5x+a)(bx+3)=5bx^2+(15+ab)x+3a$이므로

$5b=10$에서 $b=2$

$3a=-9$에서 $a=-3$

$15+ab=c$에서 $c=15+(-3)\times2=9$

$\therefore a+b+c=-3+2+9=8$

4 새로운 직사각형의 넓이는

$(a+b)(a-2b)=a^2-ab-2b^2$

5 $(3x+1)(2x-3)-2(x+1)(x-1)$

$=(6x^2-7x-3)-2(x^2-1)$

$=6x^2-7x-3-2x^2+2$

$=4x^2-7x-1$

따라서 $a=4$, $b=-7$, $c=-1$이므로

$a-b-c=4-(-7)-(-1)=12$

7 (주어진 식)

$=\dfrac{3(\sqrt{10}+\sqrt{7})}{(\sqrt{10}-\sqrt{7})(\sqrt{10}+\sqrt{7})}+\dfrac{3(\sqrt{10}-\sqrt{7})}{(\sqrt{10}+\sqrt{7})(\sqrt{10}-\sqrt{7})}$

$=\dfrac{3\sqrt{10}+3\sqrt{7}}{10-7}+\dfrac{3\sqrt{10}-3\sqrt{7}}{10-7}$

$=\sqrt{10}+\sqrt{7}+\sqrt{10}-\sqrt{7}$

$=2\sqrt{10}$

8 $\dfrac{1}{x}+\dfrac{1}{y}=\dfrac{x+y}{xy}$

$\quad=\dfrac{2+\sqrt{5}+2-\sqrt{5}}{(2+\sqrt{5})(2-\sqrt{5})}$

$\quad=\dfrac{4}{4-5}=-4$

5일 다항식의 인수분해

시험지 속 **개념 문제** | 49쪽, 51쪽

1 ⑤

2 풀이 참조

3 ①

4 (1) $(3x-4)^2$ (2) $(2a-b)^2$ (3) $(5x+3y)^2$

5 ②

6 ④

7 (1) $(x+6)(x-6)$ (2) $(a+3b)(a-3b)$
  (3) $(7x+2y)(7x-2y)$

8 ⑤

9 (1) $(x+1)(x+6)$ (2) $(x-2)(x+5)$
  (3) $(x+4y)(x-7y)$

10 (1) $(x-2)(2x+3)$ (2) $(2x+3)(5x-2)$
  (3) $(x-2y)(3x-y)$

11 ①

12 9400

2 선미 : $2a^2-4ab=2a(a-2b)$
  진영 : $5xy^2+xy=xy(5y+1)$

3 $x^2-12x+36=x^2-2\times x\times 6+6^2$
  $\qquad\qquad\qquad =(x-6)^2$

4 (1) $9x^2-24x+16=(3x)^2-2\times 3x\times 4+4^2$
  $\qquad\qquad\qquad\qquad =(3x-4)^2$
  (2) $4a^2-4ab+b^2=(2a)^2-2\times 2a\times b+b^2$
  $\qquad\qquad\qquad\qquad =(2a-b)^2$
  (3) $25x^2+30xy+9y^2=(5x)^2+2\times 5x\times 3y+(3y)^2$
  $\qquad\qquad\qquad\qquad\quad =(5x+3y)^2$

5 $k=\left(\dfrac{-14}{2}\right)^2=49$

6 $16x^2-Axy+25y^2=(4x)^2-Axy+(\pm 5y)^2$이므로
  $-A=\pm 2\times 4\times 5=\pm 40$ $\qquad \therefore A=\pm 40$
  그런데 $A>0$이므로 $A=40$

7 (1) $x^2-36=x^2-6^2$
  $\qquad\qquad =(x+6)(x-6)$
  (2) $a^2-9b^2=a^2-(3b)^2$
  $\qquad\qquad =(a+3b)(a-3b)$
  (3) $49x^2-4y^2=(7x)^2-(2y)^2$
  $\qquad\qquad\quad =(7x+2y)(7x-2y)$

8 $64a^2-4b^2=4(16a^2-b^2)$
  $\qquad\qquad =4\{(4a)^2-b^2\}$
  $\qquad\qquad =4(4a+b)(4a-b)$

9 (1) 곱이 6인 두 정수 중에서 합이 7인 두 정수는 1, 6이므로
  $x^2+7x+6=(x+1)(x+6)$
  (2) 곱이 -10인 두 정수 중에서 합이 3인 두 정수는 -2, 5이므로
  $x^2+3x-10=(x-2)(x+5)$
  (3) 곱이 -28인 두 정수 중에서 합이 -3인 두 정수는 4, -7이므로
  $x^2-3xy-28y^2=(x+4y)(x-7y)$

10 (1) $2x^2-x-6$

  $\begin{array}{ccc} 1 & \diagdown & -2 \to -4 \\ 2 & \diagup & 3 \to \underline{\quad 3} \,(+ \\ & & \qquad -1 \end{array}$

  $\therefore 2x^2-x-6=(x-2)(2x+3)$

  (2) $10x^2+11x-6$

  $\begin{array}{ccc} 2 & \diagdown & 3 \to 15 \\ 5 & \diagup & -2 \to \underline{-4}\,(+ \\ & & \qquad 11 \end{array}$

  $\therefore 10x^2+11x-6=(2x+3)(5x-2)$

(3) $3x^2-7xy+2y^2$

$1 \quad -2 \rightarrow -6$

$3 \quad -1 \rightarrow \underline{-1}\ (+$

-7

$\therefore 3x^2-7xy+2y^2=(x-2y)(3x-y)$

11 $6x^2-22x+12=2(3x^2-11x+6)$

$=2(x-3)(3x-2)$

12 $97^2-3^2=(97+3)(97-3)$

$=100\times94=9400$

교과서 기출 베스트 1회 | 52쪽~53쪽

1 ㉠, ㉥	2 ②	3 ③	4 ③
5 ②	6 ③	7 (1) $-4\sqrt{10}$ (2) 3	
8 $4x+6$			

2 x^2+x+A에서 $A=\left(\frac{1}{2}\right)^2=\frac{1}{4}$

$\frac{1}{4}x^2+Bx+25=\left(\frac{1}{2}x\right)^2+Bx+(\pm5)^2$이므로

$B=\pm2\times\frac{1}{2}\times5=\pm5$

3 ① $x^2-2x+1=(x-1)^2$

② $4x^2-9y^2=(2x+3y)(2x-3y)$

④ $2x^2-5x-3=(x-3)(2x+1)$

⑤ $4x^2-20x+25=(2x-5)^2$

4 $x^2+2x-15=(x-3)(x+5)$

따라서 두 일차식의 합은

$(x-3)+(x+5)=2x+2$

5 $x^2+Ax+18=(x+B)(x-2)$

$=x^2+(B-2)x-2B$

이므로 $18=-2B$에서 $B=-9$

$A=B-2$에서 $A=-9-2=-11$

$\therefore A+B=-11+(-9)=-20$

6 (주어진 식)$=1.14\times(6.5^2-3.5^2)$

$=1.14\times(6.5+3.5)(6.5-3.5)$

$=1.14\times10\times3$

$=34.2$

7 (1) $a+b=(\sqrt{5}-\sqrt{2})+(\sqrt{5}+\sqrt{2})=2\sqrt{5}$

$a-b=(\sqrt{5}-\sqrt{2})-(\sqrt{5}+\sqrt{2})=-2\sqrt{2}$

$\therefore a^2-b^2=(a+b)(a-b)$

$=2\sqrt{5}\times(-2\sqrt{2})$

$=-4\sqrt{10}$

(2) $a^2-4a+4=(a-2)^2$

$=(2+\sqrt{3}-2)^2$

$=(\sqrt{3})^2=3$

8 큰 직사각형의 넓이는

$x^2+3x+2=(x+1)(x+2)$

따라서 큰 직사각형의 둘레의 길이는

$2\{(x+1)+(x+2)\}=2(2x+3)=4x+6$

교과서 기출 베스트 2회 | 54쪽~55쪽

1 ②	2 ②	3 ④	4 ①
5 ①	6 ④	7 ③	8 ⑤

1 $3x^2+6xy=3x(x+2y)$

따라서 인수가 아닌 것은 ②이다.

2 x^2-8x+p에서 $p=\left(\dfrac{-8}{2}\right)^2=16$

$4x^2+qx+25=(2x)^2+qx+(\pm5)^2$이므로

$q=\pm2\times2\times5=\pm20$

그런데 $q<0$이므로 $q=-20$

$\therefore p+q=16+(-20)=-4$

3 ④ $x^2+10x+9=(x+1)(x+9)$

4 $4x^2-13x+10=(x-2)(4x-5)$

따라서 두 일차식의 합은

$(x-2)+(4x-5)=5x-7$

5 $3x^2+ax-6=(x-3)(bx+2)$

$\qquad\qquad\qquad=bx^2+(2-3b)x-6$

이므로 $3=b$

$a=2-3b$에서 $a=2-3\times3=-7$

$\therefore a+b=-7+3=-4$

6 (주어진 식)$=1.53\times(5.5^2-4.5^2)$

$\qquad\qquad=1.53\times(5.5+4.5)(5.5-4.5)$

$\qquad\qquad=1.53\times10\times1$

$\qquad\qquad=15.3$

7 $xy=(\sqrt{10}+3)(\sqrt{10}-3)=10-9=1$

$x-y=(\sqrt{10}+3)-(\sqrt{10}-3)=6$

$\therefore x^2y-xy^2=xy(x-y)=1\times6=6$

8 $2x^2+5x+3=(x+1)(2x+3)$

따라서 직사각형의 세로의 길이는 $2x+3$이므로 둘레의
길이는

$2\{(x+1)+(2x+3)\}=2(3x+4)=6x+8$

누구나 100점 테스트 ①회 | 56쪽~57쪽

1 ②	
2 ㉠ $\sqrt{49}$, $\sqrt{16}-2$ ㉡ 1.6, $\sqrt{0.01}$ ㉢ $3.\dot{7}$, $-\dfrac{\sqrt{25}}{3}$	
㉣ $\sqrt{0.2}$, $\dfrac{\sqrt{2}}{2}$	
3 ② **4** ④ **5** ② **6** ⑤	
7 ② **8** ② **9** ④	
10 (1) $\sqrt{5}$ (2) $a=1+\sqrt{5}$, $b=1-\sqrt{5}$ (3) 2	

2 $\sqrt{49}=7$ (정수)

$\sqrt{16}-2=4-2=2$ (정수)

$\sqrt{0.01}=0.1$ (유한소수)

$-\dfrac{\sqrt{25}}{3}=-\dfrac{5}{3}=-1.\dot{6}$ (순환소수)

3 ② $\sqrt{9}=3$이므로 $\sqrt{9}$는 유리수이다.

4 ① $3=\sqrt{9}$이고 $\sqrt{9}>\sqrt{8}$이므로 $3>\sqrt{8}$

② $\sqrt{11}>\sqrt{10}$이므로 $-\sqrt{11}<-\sqrt{10}$

③ $3+\sqrt{3}-\sqrt{4}=3+\sqrt{3}-2=1+\sqrt{3}>0$이므로

$\qquad 3+\sqrt{3}>\sqrt{4}$

④ $(4+\sqrt{3})-(4+\sqrt{7})=\sqrt{3}-\sqrt{7}<0$이므로

$\qquad 4+\sqrt{3}<4+\sqrt{7}$

⑤ $(2\sqrt{2}-1)-(\sqrt{3}-1)=2\sqrt{2}-\sqrt{3}=\sqrt{8}-\sqrt{3}>0$

$\qquad$이므로 $2\sqrt{2}-1>\sqrt{3}-1$

따라서 대소 관계가 옳은 것은 ④이다.

5 ① $-\sqrt{(-3)^2}=-3$

② $\sqrt{2^4}=\sqrt{16}=\sqrt{4^2}=4$

③ $\sqrt{250}=\sqrt{5^2\times10}=5\sqrt{10}$

④ $\dfrac{6}{\sqrt{3}}=\dfrac{6\times\sqrt{3}}{\sqrt{3}\times\sqrt{3}}=\dfrac{6\sqrt{3}}{3}=2\sqrt{3}$

⑤ $\sqrt{2}+\sqrt{3}$은 더 이상 간단히 할 수 없다.

따라서 옳은 것은 ②이다.

6 $\sqrt{6}\times\sqrt{5}\div\sqrt{3}=\sqrt{6}\times\sqrt{5}\times\dfrac{1}{\sqrt{3}}=\sqrt{10}$

7 $\sqrt{0.0311}=\sqrt{\dfrac{3.11}{100}}=\dfrac{\sqrt{3.11}}{10}$

$\qquad\qquad=\dfrac{1.764}{10}=0.1764$

8 (주어진 식)$=6\sqrt{3}+10\sqrt{2}-6\sqrt{3}+2\sqrt{2}$

$\qquad\qquad\quad=12\sqrt{2}$

9 $\sqrt{32}-\sqrt{12}+\dfrac{6\sqrt{6}}{\sqrt{3}}-\dfrac{4}{\sqrt{2}}$

$\quad=4\sqrt{2}-2\sqrt{3}+6\sqrt{2}-\dfrac{4\times\sqrt{2}}{\sqrt{2}\times\sqrt{2}}$

$\quad=4\sqrt{2}-2\sqrt{3}+6\sqrt{2}-2\sqrt{2}$

$\quad=8\sqrt{2}-2\sqrt{3}$

따라서 $a=8$, $b=-2$이므로

$a-b=8-(-2)=10$

10 (1) 피타고라스 정리에 의해

$\overline{AC}=\sqrt{2^2+1^2}=\sqrt{5}$

(2) 점 A에 대응하는 수는 1이고

$\overline{AP}=\overline{AQ}=\overline{AC}=\sqrt{5}$이므로 점 P에 대응하는 수는

$1+\sqrt{5}$, 점 Q에 대응하는 수는 $1-\sqrt{5}$이다.

$\therefore a=1+\sqrt{5}$, $b=1-\sqrt{5}$

(3) $a+b=(1+\sqrt{5})+(1-\sqrt{5})=2$

| 58쪽~59쪽

누구나 100점 테스트 2회

1 ⑤	**2** ③	**3** (1) ㉢, 9996 (2) ㉠, 10609	
4 ④	**5** ③	**6** ③	**7** ②
8 ③	**9** ③	**10** ④	

1 ① $(3x-2y)^2=9x^2-12xy+4y^2$

② $(x+3y)^2=x^2+6xy+9y^2$

③ $(x+1)(x+3)=x^2+4x+3$

④ $(2x+3)(2x-3)=4x^2-9$

2 $(x-6)^2+(x+2)(x-3)$

$=(x^2-12x+36)+(x^2-x-6)$

$=2x^2-13x+30$

따라서 $A=2$, $B=30$이므로

$A-B=2-30=-28$

3 (1) $98\times102=(100-2)(100+2)$ ← ㉢ 이용

$\qquad\qquad\quad=100^2-2^2$

$\qquad\qquad\quad=10000-4$

$\qquad\qquad\quad=9996$

(2) $103^2=(100+3)^2$ ← ㉠ 이용

$\qquad\quad=100^2+2\times100\times3+3^2$

$\qquad\quad=10000+600+9$

$\qquad\quad=10609$

4 $(2\sqrt{2}-3)^2=(2\sqrt{2})^2-2\times2\sqrt{2}\times3+3^2$

$\qquad\qquad\quad=8-12\sqrt{2}+9$

$\qquad\qquad\quad=17-12\sqrt{2}$

따라서 $m=17$, $n=-12$이므로

$m+n=17+(-12)=5$

5 $6x^2y+8xy=2xy(3x+4)$

따라서 인수가 아닌 것은 ③이다.

6 $4x^2-12xy+9y^2=(2x-3y)^2$
따라서 $A=2$, $B=-3$이므로
$AB=2\times(-3)=-6$

7 $A=\left(\dfrac{12}{2}\right)^2=36$

9 $133^2-132^2=(133+132)(133-132)$
$\qquad\qquad =133+132$
따라서 인수분해 공식 $a^2-b^2=(a+b)(a-b)$를 이용하였다.

10 $x=\dfrac{1}{\sqrt{5}+2}=\dfrac{\sqrt{5}-2}{(\sqrt{5}+2)(\sqrt{5}-2)}$
$\qquad =\dfrac{\sqrt{5}-2}{5-4}=\sqrt{5}-2$
$\therefore x^2+4x+4=(x+2)^2$
$\qquad\qquad\qquad =(\sqrt{5}-2+2)^2$
$\qquad\qquad\qquad =(\sqrt{5})^2=5$

서술형·사고력 테스트 | 60쪽~61쪽

1 $\dfrac{\sqrt{10}}{2}$ cm

2 $2\sqrt{2}$

3 (1) $x^2+(A-5)x-5A$ (2) 4

4 47

5 (1) $\sqrt{5}-2$ (2) $\sqrt{5}+2$ (3) $(a+b)^2$ (4) 20

6 (1) $(3x+1)(3x-3)$ (2) $3x+1$

---

1 직육면체의 높이를 x cm라고 하면
$\sqrt{6}\times2\sqrt{2}\times x=2\sqrt{30}$ ······ (가)
$4\sqrt{3}x=2\sqrt{30}$
$\therefore x=\dfrac{2\sqrt{30}}{4\sqrt{3}}=\dfrac{\sqrt{10}}{2}$
따라서 직육면체의 높이는 $\dfrac{\sqrt{10}}{2}$ cm이다. ······ (나)

채점 기준	비율
(가) (직육면체의 부피)=(가로의 길이)×(세로의 길이)×(높이)임을 이용하여 식 세우기	30 %
(나) 직육면체의 높이 구하기	70 %

2 피타고라스 정리에 의해
$\overline{AC}=\sqrt{1^2+1^2}=\sqrt{2}$ ······ (가)
이때 점 A에 대응하는 수는 -1이고
$\overline{AP}=\overline{AQ}=\overline{AC}=\sqrt{2}$이므로 점 P에 대응하는 수는
$-1+\sqrt{2}$, 점 Q에 대응하는 수는 $-1-\sqrt{2}$이다. ······ (나)
$\therefore \overline{QP}=(-1+\sqrt{2})-(-1-\sqrt{2})=2\sqrt{2}$ ······ (다)

채점 기준	비율
(가) $\overline{AC}$의 길이 구하기	20 %
(나) 두 점 P, Q에 대응하는 수 각각 구하기	60 %
(다) $\overline{QP}$의 길이 구하기	20 %

3 (1) $(x+A)(x-5)=x^2+(A-5)x-5A$ ······ (가)
(2) $(x+A)(x-5)=x^2-x-20$이므로
$\quad A-5=-1$, $-5A=-20$ $\quad\therefore A=4$ ······ (나)

채점 기준	비율
(가) $(x+A)(x-5)$를 전개하기	40 %
(나) A의 값 구하기	60 %

4 $(Ax-6)(-4x+B)=-4Ax^2+(AB+24)x-6B$
이므로 ······ (가)
$-4A=-12$에서 $A=3$
$-6B=-30$에서 $B=5$
$AB+24=C$에서 $C=3\times5+24=39$ ······ (나)
$\therefore A+B+C=3+5+39=47$ ······ (다)

채점 기준	비율
(가) 주어진 식의 좌변 전개하기	30 %
(나) A, B, C의 값 각각 구하기	60 %
(다) $A+B+C$의 값 구하기	10 %

5 (1) $a=\dfrac{1}{\sqrt{5}+2}=\dfrac{\sqrt{5}-2}{(\sqrt{5}+2)(\sqrt{5}-2)}$

$\qquad =\dfrac{\sqrt{5}-2}{5-4}=\sqrt{5}-2$ ······ ㈎

(2) $b=\dfrac{1}{\sqrt{5}-2}=\dfrac{\sqrt{5}+2}{(\sqrt{5}-2)(\sqrt{5}+2)}$

$\qquad =\dfrac{\sqrt{5}+2}{5-4}=\sqrt{5}+2$ ······ ㈏

(3) $a^2+2ab+b^2=(a+b)^2$ ······ ㈐

(4) $a^2+2ab+b^2=(a+b)^2$

$\qquad\qquad\qquad =\{(\sqrt{5}-2)+(\sqrt{5}+2)\}^2$

$\qquad\qquad\qquad =(2\sqrt{5})^2=20$ ······ ㈑

채점 기준	비율
㈎ a의 분모를 유리화하기	30 %
㈏ b의 분모를 유리화하기	30 %
㈐ $a^2+2ab+b^2$을 인수분해하기	15 %
㈑ $a^2+2ab+b^2$의 값 구하기	25 %

6 (1) $(3x-1)^2-2^2=(3x-1+2)(3x-1-2)$

$\qquad\qquad\qquad\quad =(3x+1)(3x-3)$ ······ ㈎

(2) 도형 ㈏의 넓이는 $(3x+1)(3x-3)$이고 세로의 길이가 $3x-3$이므로 가로의 길이는 $3x+1$이다.

$\qquad$ ······ ㈏

채점 기준	비율
㈎ 도형 ㈎의 넓이를 두 일차식의 곱으로 나타내기	60 %
㈏ 도형 ㈏의 가로의 길이 구하기	40 %

---

1 풀이 참조

2 (1) $4\sqrt{3}$ m (2) $3\sqrt{2}$ m (3) $2\sqrt{3}$ m (4) $(6\sqrt{2}+20\sqrt{3})$ m

3 풀이 참조

4 (1) $2x^2+5x+2$ (2) $(x+2)(2x+1)$ (3) $2x+1$ (4) $6x+6$

1 세정, 넓이가 25 cm²인 정사각형 모양의 색종이의 한 변의 길이는 $\sqrt{25}=5$ (cm)이므로 유리수이다.

2 (1) $\sqrt{48}=4\sqrt{3}$ (m)

(2) $\sqrt{18}=3\sqrt{2}$ (m)

(3) $\sqrt{12}=2\sqrt{3}$ (m)

(4) $(4\sqrt{3}+3\sqrt{2}+2\sqrt{3})\times2+4\sqrt{3}\times2$

$\qquad =(3\sqrt{2}+6\sqrt{3})\times2+4\sqrt{3}\times2$

$\qquad =6\sqrt{2}+12\sqrt{3}+8\sqrt{3}$

$\qquad =6\sqrt{2}+20\sqrt{3}$ (m)

3 분배법칙을 이용하여 공통인 인수로 묶어 내어 인수분해할 때에는 공통인 인수가 남지 않도록 모두 묶어 내야 한다. 그런데 시완이와 세경이의 풀이에는 괄호 안에 공통인 인수 2, m이 각각 남아 있다.

$\qquad \therefore 8ma+4mb=4m(2a+b)$

4 (2) $2x^2+5x+2=(x+2)(2x+1)$

(3) 새로 만든 직사각형의 넓이는 $(x+2)(2x+1)$이고 세로의 길이가 $x+2$이므로 가로의 길이는 $2x+1$이다.

(4) $2\{(2x+1)+(x+2)\}=2(3x+3)$

$\qquad\qquad\qquad\qquad\quad =6x+6$

| 64쪽~67쪽

중간고사 기본 테스트 1회

1 ②	**2** ②	**3** ④	**4** ①
5 ④	**6** ②	**7** ⑤	**8** ③
9 ③	**10** ②	**11** ③	**12** ②
13 ②	**14** ①	**15** ③	**16** ③
17 ③	**18** $\dfrac{5\sqrt{5}}{2}-\dfrac{7}{2}$	**19** 36	**20** 48

1 선겸 : $\sqrt{36}=6$의 제곱근은 $\pm\sqrt{6}$이다.

미주 : 16의 제곱근은 ±4이다.

영하 : -3은 $\sqrt{81}=9$의 음의 제곱근이다.

단아 : 양수의 제곱근은 2개이지만 0의 제곱근은 1개이다.

따라서 옳게 말한 학생은 선겸, 영하이다.

2 (주어진 식)$=0.5\div5=0.1$

3 $\sqrt{24-n}$이 자연수가 되려면 $24-n$은 24보다 작은 (자연수)^{2}의 꼴인 수이어야 하므로

$24-n=1,\ 4,\ 9,\ 16$

$\therefore n=8,\ 15,\ 20,\ 23$

따라서 가장 작은 자연수 n의 값은 8이다.

4 피타고라스 정리에 의해 한 변의 길이가 1인 정사각형의 대각선의 길이는 $\sqrt{1^2+1^2}=\sqrt{2}$이므로 각 점의 좌표는 다음과 같다.

$A(-1-\sqrt{2})$, $B(-\sqrt{2})$, $C(-2+\sqrt{2})$, $D(-1+\sqrt{2})$, $E(2-\sqrt{2})$

따라서 $-1-\sqrt{2}$에 대응하는 점은 A이다.

5 $\sqrt{108}\div3\sqrt{3}\times\sqrt{48}=6\sqrt{3}\div3\sqrt{3}\times4\sqrt{3}$

$\qquad\qquad\qquad\qquad\quad=6\sqrt{3}\times\dfrac{1}{3\sqrt{3}}\times4\sqrt{3}$

$\qquad\qquad\qquad\qquad\quad=8\sqrt{3}$

$\therefore a=8$

6 $\sqrt{500}=\sqrt{100\times5}=10\sqrt{5}$

$\qquad\quad=10\times2.236=22.36$

7 ① $4\sqrt{5}+2\sqrt{5}=6\sqrt{5}$

② $5\sqrt{3}-\sqrt{48}=5\sqrt{3}-4\sqrt{3}$

$\qquad\qquad\qquad=\sqrt{3}$

③ $\sqrt{32}-\dfrac{7}{\sqrt{2}}=4\sqrt{2}-\dfrac{7\sqrt{2}}{2}$

$\qquad\qquad\qquad=\dfrac{\sqrt{2}}{2}$

④ $3\sqrt{5}-3\div\sqrt{5}=3\sqrt{5}-\dfrac{3}{\sqrt{5}}$

$\qquad\qquad\qquad\quad=3\sqrt{5}-\dfrac{3\sqrt{5}}{5}$

$\qquad\qquad\qquad\quad=\dfrac{12\sqrt{5}}{5}$

⑤ $\sqrt{6}(\sqrt{3}-\sqrt{2})+\sqrt{12}=3\sqrt{2}-2\sqrt{3}+2\sqrt{3}$

$\qquad\qquad\qquad\qquad\qquad=3\sqrt{2}$

따라서 옳은 것은 ⑤이다.

8 $(4-\sqrt{3})-2=2-\sqrt{3}=\sqrt{4}-\sqrt{3}>0$이므로

$4-\sqrt{3}>2$ $\quad\therefore a>b$

$(4-\sqrt{3})-(1+\sqrt{3})=3-2\sqrt{3}=\sqrt{9}-\sqrt{12}<0$이므로

$4-\sqrt{3}<1+\sqrt{3}$ $\quad\therefore a<c$

따라서 $b<a$이고 $a<c$이므로 $b<a<c$

9 ① $(x+1)^2=x^2+2x+1$

② $(x-3)^2=x^2-6x+9$

④ $(x-5)(x+2)=x^2-3x-10$

⑤ $(5x+2)(x-3)=5x^2-13x-6$

10 $(x+a)^2=x^2+2ax+a^2$이므로

$2a=-8$, $a^2=16$ ∴ $a=-4$

$(3x-1)(x+b)=3x^2+(3b-1)x-b$이므로

$3b-1=5$, $-b=-2$ ∴ $b=2$

∴ $a+b=-4+2=-2$

11 (주어진 식)$=(4x^2+4ax+a^2)-(x^2-2x-3)$

$=3x^2+(4a+2)x+a^2+3$

이때 $4a+2=10$이므로 $4a=8$ ∴ $a=2$

12 (주어진 식)$=\dfrac{(1023-2)(1023+2)+4}{1023}$

$=\dfrac{1023^2-4+4}{1023}$

$=\dfrac{1023^2}{1023}$

$=1023$

13 $16x^2+Ax+\dfrac{1}{4}=(4x)^2+Ax+\left(\pm\dfrac{1}{2}\right)^2$이므로

$A=\pm2\times4\times\dfrac{1}{2}=\pm4$

그런데 $A>0$이므로 $A=4$

14 ① $x^2-x=x(x-1)$

② $x^2-x-2=(x+1)(x-2)$

③ $x^2-3x-4=(x+1)(x-4)$

④ $x^2+2x+1=(x+1)^2$

⑤ $x^2-1=(x+1)(x-1)$

따라서 $x+1$을 인수로 갖지 않는 것은 ①이다.

15 ①, ②, ④, ⑤ 3

③ 4

16 $3x^2-11x-20=(x-5)(3x+4)$

따라서 두 일차식의 합은

$(x-5)+(3x+4)=4x-1$

17 (주어진 식)$=35\times(3.5^2-2.5^2)$

$=35\times(3.5+2.5)(3.5-2.5)$

$=35\times6\times1$

$=210$

18 (주어진 식)$=4\sqrt{5}-5+\dfrac{3\sqrt{5}-15}{2\sqrt{5}}$ ······ (가)

$=4\sqrt{5}-5+\dfrac{(3\sqrt{5}-15)\times\sqrt{5}}{2\sqrt{5}\times\sqrt{5}}$

$=4\sqrt{5}-5+\dfrac{15-15\sqrt{5}}{10}$ ······ (나)

$=4\sqrt{5}-5+\dfrac{3}{2}-\dfrac{3\sqrt{5}}{2}$

$=\dfrac{5\sqrt{5}}{2}-\dfrac{7}{2}$ ······ (다)

채점 기준	비율
(가) 괄호를 풀어 전개하기	20 %
(나) 분모를 유리화하기	50 %
(다) 답 구하기	30 %

19 (직육면체의 겉넓이)

$=2\{(x+5)(x-1)+(x-1)(2x+1)$

$+(x+5)(2x+1)\}$

$=2\{(x^2+4x-5)+(2x^2-x-1)+(2x^2+11x+5)\}$

$=2(5x^2+14x-1)$

$=10x^2+28x-2$ ······ (가)

따라서 $a=10$, $b=28$, $c=-2$이므로 ······ (나)

$a+b+c=10+28+(-2)=36$ ······ (다)

채점 기준	비율
(가) 직육면체의 겉넓이 구하기	50 %
(나) a, b, c의 값 각각 구하기	30 %
(다) $a+b+c$의 값 구하기	20 %

20 $x = \dfrac{2+\sqrt{3}}{2-\sqrt{3}} = \dfrac{(2+\sqrt{3})^2}{(2-\sqrt{3})(2+\sqrt{3})}$

$\qquad = \dfrac{4+4\sqrt{3}+3}{4-3} = 7+4\sqrt{3}$ ...... (가)

$\therefore x^2-14x+49 = (x-7)^2 = (7+4\sqrt{3}-7)^2$

$\qquad\qquad\qquad\quad = (4\sqrt{3})^2 = 48$ ...... (나)

채점 기준	비율
(가) x의 분모를 유리화하기	50 %
(나) $x^2-14x+49$의 값 구하기	50 %

---

1 ① $\sqrt{144}=12$의 음의 제곱근은 $-\sqrt{12}$이다.

② 36의 제곱근은 ±6이다.

③ $\sqrt{16}=4$

⑤ 음수의 제곱근은 없다.

2 (주어진 식)$=8\div2+7=4+7=11$

3 $\sqrt{120x} = \sqrt{2^3\times3\times5\times x}$가 자연수가 되려면

$x=2\times3\times5\times(\text{자연수})^2$의 꼴이어야 한다.

따라서 가장 작은 자연수 x의 값은

$2\times3\times5=30$

4 피타고라스 정리에 의해 $\overline{\mathrm{CB}}=\sqrt{3^2+1^2}=\sqrt{10}$

이때 점 C에 대응하는 수는 1이고 $\overline{\mathrm{CP}}=\overline{\mathrm{CB}}=\sqrt{10}$이므

로 점 P에 대응하는 수는 $1-\sqrt{10}$이다.

5 $\sqrt{24}\times\sqrt{63}\div\sqrt{27} = 2\sqrt{6}\times3\sqrt{7}\div3\sqrt{3}$

$\qquad\qquad\qquad\qquad = 2\sqrt{6}\times3\sqrt{7}\times\dfrac{1}{3\sqrt{3}}$

$\qquad\qquad\qquad\qquad = 2\sqrt{14}$

$\therefore a=14$

6 진성 : $\sqrt{0.0345} = \sqrt{\dfrac{3.45}{100}} = \dfrac{\sqrt{3.45}}{10}$

$\qquad\qquad\qquad = \dfrac{1.857}{10} = 0.1857$

현정 : $\sqrt{0.345} = \sqrt{\dfrac{34.5}{100}} = \dfrac{\sqrt{34.5}}{10}$

$\qquad\qquad\qquad = \dfrac{5.874}{10} = 0.5874$

대우 : $\sqrt{345} = \sqrt{100\times3.45} = 10\sqrt{3.45}$

$\qquad\qquad = 10\times1.857 = 18.57$

윤경 : $\sqrt{3450} = \sqrt{100\times34.5} = 10\sqrt{34.5}$

$\qquad\qquad = 10\times5.874 = 58.74$

명근 : $\sqrt{34500} = \sqrt{10000\times3.45} = 100\sqrt{3.45}$

$\qquad\qquad = 100\times1.857 = 185.7$

따라서 제곱근의 값을 바르게 구한 학생은 대우이다.

7 ② $\sqrt{28}-4\sqrt{7} = 2\sqrt{7}-4\sqrt{7} = -2\sqrt{7}$

③ $\sqrt{27}-\dfrac{5}{\sqrt{3}} = 3\sqrt{3}-\dfrac{5\sqrt{3}}{3} = \dfrac{4\sqrt{3}}{3}$

④ $5\sqrt{3}+2\sqrt{6}\div\sqrt{2} = 5\sqrt{3}+2\sqrt{3} = 7\sqrt{3}$

⑤ $\sqrt{24}-\sqrt{2}(5+2\sqrt{3}) = 2\sqrt{6}-5\sqrt{2}-2\sqrt{6}$

$\qquad\qquad\qquad\qquad\qquad = -5\sqrt{2}$

따라서 옳지 않은 것은 ③이다.

8 ① $-\sqrt{3^2}=-3$, $-\sqrt{4^2}=-4$이고 $-3>-4$이므로

$\qquad -\sqrt{3^2}>-\sqrt{4^2}$

② $(1-\sqrt{2})-(1-\sqrt{3}) = -\sqrt{2}+\sqrt{3}>0$

$\qquad \therefore 1-\sqrt{2}>1-\sqrt{3}$

③ $4\sqrt{3}=\sqrt{48}$, $7=\sqrt{49}$이고 $\sqrt{48}<\sqrt{49}$이므로
$4\sqrt{3}<7$
④ $(3\sqrt{2}+4)-(2\sqrt{3}+4)=3\sqrt{2}-2\sqrt{3}$
$=\sqrt{18}-\sqrt{12}>0$
$\therefore 3\sqrt{2}+4>2\sqrt{3}+4$
⑤ $3\sqrt{3}-(\sqrt{3}+2)=2\sqrt{3}-2=\sqrt{12}-\sqrt{4}>0$
$\therefore 3\sqrt{3}>\sqrt{3}+2$
따라서 대소 관계가 옳은 것은 ③이다.

9 ③ $\left(a+\dfrac{1}{4}\right)^2=a^2+\dfrac{1}{2}a+\dfrac{1}{16}$

10 $(3x-a)(bx+4)=3bx^2+(12-ab)x-4a$이므로
$3b=15$에서 $b=5$
$-4a=-8$에서 $a=2$
$12-ab=c$에서 $c=12-2\times5=2$
$\therefore a+b+c=2+5+2=9$

11 (주어진 식)$=(9x^2-6ax+a^2)-(-2x^2-3x+5)$
$=11x^2+(3-6a)x+a^2-5$
이때 $3-6a=-3$이므로 $-6a=-6$ $\therefore a=1$

12 (주어진 식)
$=2\sqrt{5}\times3\sqrt{5}+(-4+3)\sqrt{5}+1\times(-2)$
$=30-\sqrt{5}-2$
$=28-\sqrt{5}$

13 x^2-5x+a에서 $a=\left(\dfrac{-5}{2}\right)^2=\dfrac{25}{4}$
$4x^2+bx+49=(2x)^2+bx+(\pm7)^2$이므로
$b=\pm2\times2\times7=\pm28$
그런데 $b<0$이므로 $b=-28$
$\therefore 4a+b=4\times\dfrac{25}{4}+(-28)=-3$

14 $x^2-7x+12=(x-3)(x-4)$
$x^2-16=(x+4)(x-4)$
따라서 두 다항식에 공통으로 들어 있는 인수는 $x-4$이다.

15 ① 8 ② 5 ③ 6 ④ 11 ⑤ 2
따라서 □ 안에 알맞은 수가 가장 큰 것은 ④이다.

16 (주어진 식)$=2(x^2-6x+9)+x-6$
$=2x^2-11x+12$
$=(x-4)(2x-3)$
따라서 두 일차식의 합은
$(x-4)+(2x-3)=3x-7$

17 $a=97\times103$
$=(100-3)(100+3)$
$=100^2-3^2$
$=10000-9$
$=9991$
$b=129\times3.45-29\times3.45$
$=3.45\times(129-29)$
$=3.45\times100=345$

18 (주어진 식)$=\dfrac{6-2\sqrt{3}}{\sqrt{2}}+\sqrt{24}-\sqrt{2}$ ...... (가)
$=\dfrac{(6-2\sqrt{3})\times\sqrt{2}}{\sqrt{2}\times\sqrt{2}}+2\sqrt{6}-\sqrt{2}$
$=\dfrac{6\sqrt{2}-2\sqrt{6}}{2}+2\sqrt{6}-\sqrt{2}$ ...... (나)
$=3\sqrt{2}-\sqrt{6}+2\sqrt{6}-\sqrt{2}$
$=2\sqrt{2}+\sqrt{6}$ ...... (다)

채점 기준	비율
㈎ 괄호를 풀어 전개하기	20 %
㈏ 분모를 유리화하기	50 %
㈐ 답 구하기	30 %

채점 기준	비율
㈎ x의 분모를 유리화하기	25 %
㈏ y의 분모를 유리화하기	25 %
㈐ xy, $x-y$의 값 각각 구하기	30 %
㈑ x^2y-xy^2의 값 구하기	20 %

19 (직육면체의 겉넓이)

$$=2\{(3x-1)(x+4)+(x+4)(2x+3)$$
$$+(3x-1)(2x+3)\}$$
$$=2\{(3x^2+11x-4)+(2x^2+11x+12)$$
$$+(6x^2+7x-3)\}$$
$$=2(11x^2+29x+5)$$
$$=22x^2+58x+10 \qquad \cdots\cdots ㈎$$

따라서 $a=22$, $b=58$, $c=10$이므로 $\qquad \cdots\cdots ㈏$

$$a-b+c=22-58+10=-26 \qquad \cdots\cdots ㈐$$

채점 기준	비율
㈎ 직육면체의 겉넓이 구하기	50 %
㈏ a, b, c의 값 각각 구하기	30 %
㈐ $a-b+c$의 값 구하기	20 %

20 (1) $x=\dfrac{1}{3+2\sqrt{2}}=\dfrac{3-2\sqrt{2}}{(3+2\sqrt{2})(3-2\sqrt{2})}$

$\qquad =\dfrac{3-2\sqrt{2}}{9-8}=3-2\sqrt{2} \qquad \cdots\cdots ㈎$

(2) $y=\dfrac{1}{3-2\sqrt{2}}=\dfrac{3+2\sqrt{2}}{(3-2\sqrt{2})(3+2\sqrt{2})}$

$\qquad =\dfrac{3+2\sqrt{2}}{9-8}=3+2\sqrt{2} \qquad \cdots\cdots ㈏$

(3) $xy=(3-2\sqrt{2})(3+2\sqrt{2})=9-8=1$

$\quad x-y=(3-2\sqrt{2})-(3+2\sqrt{2})=-4\sqrt{2} \qquad \cdots\cdots ㈐$

(4) $x^2y-xy^2=xy(x-y)$

$\qquad\qquad =1\times(-4\sqrt{2})$

$\qquad\qquad =-4\sqrt{2} \qquad \cdots\cdots ㈑$

핵심 정리 01 제곱근의 뜻

(1) **제곱근** : 어떤 수 x를 제곱하여 음이 아닌 수 a가 될 때, 즉 $x^2=a(a≥0)$일 때, x를 a의 ❶□□□ 이라고 한다.

[예] $3^2=9$, $(-3)^2=9$이므로 9의 제곱근은 3과 -3이다.

(2) **제곱근의 개수**

① 양수의 제곱근은 양수와 음수의 ❷□□ 개가 있으며, 그 절댓값은 서로 같다.

② 0의 제곱근은 0의 ❸□□ 개이다.

③ 음수의 제곱근은 생각하지 않는다.

[예] ① 4의 제곱근은 2, -2로 2개이다.

② 0의 제곱근은 0으로 1개이다.

③ -4의 제곱근은 없다.

답 ❶ 제곱근 ❷ 2 ❸ 1

핵심 정리 02 제곱근의 표현

(1) **양수 a의 제곱근**

① 양의 제곱근 ➡ $\sqrt{a}$

② 음의 제곱근 ➡ $-\sqrt{a}$

③ $\sqrt{a}$와 $-\sqrt{a}$를 한꺼번에 ❶□□□ 로 나타낸다.

$\sqrt{a}$ 제곱 a $-\sqrt{a}$ 제곱근

(2) **a의 제곱근과 제곱근 a(단, $a>0$)**

① a의 제곱근 ➡ $\pm\sqrt{a}$

② 제곱근 a ➡ ❷□□

(3) $a>0$일 때, a가 (유리수)^{2}이면 a의 제곱근은 $\sqrt{}$ 를 사용하지 않고 나타낼 수 있다.

[예] 4의 제곱근 ➡ $\pm\sqrt{4}=$ ❸□□

답 ❶ $\pm\sqrt{a}$ ❷ $\sqrt{a}$ ❸ ± 2

핵심 정리 03 제곱근의 성질

$a>0$일 때

(1) $(\sqrt{a})^2=a$, $(-\sqrt{a})^2=$ ❶□□

[예] $(\sqrt{2})^2=2$, $(-\sqrt{2})^2=2$

(2) $\sqrt{a^2}=$ ❷□□, $\sqrt{(-a)^2}=a$

[예] $\sqrt{2^2}=2$, $\sqrt{(-2)^2}=2$

[참고] 모든 수 a에 대하여 $\sqrt{a^2}=|a|=\begin{cases} a & (a≥0) \\ ❸\square & (a<0) \end{cases}$

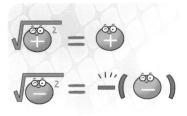

답 ❶ a ❷ a ❸ $-a$

핵심 정리 04 제곱근의 대소 관계

(1) **제곱근의 대소 관계**

$a>0$, $b>0$일 때

① $a<b$이면 $\sqrt{a}$ ❶□ $\sqrt{b}$

② $\sqrt{a}<\sqrt{b}$이면 $a<b$

[참고] $a<b$이면 $\sqrt{a}<\sqrt{b}$이므로 $-\sqrt{a}$ ❷□ $-\sqrt{b}$

[예] $2<3$이므로 $\sqrt{2}<\sqrt{3}$ ∴ $-\sqrt{2}>-\sqrt{3}$

(2) **근호가 있는 수와 근호가 없는 수의 대소 비교**

(방법1) 근호가 없는 수를 근호가 있는 수로 바꾼 후 대소를 비교한다.

[예] $2=\sqrt{4}$이므로 $\sqrt{4}>\sqrt{3}$ ∴ 2 ❸□ $\sqrt{3}$

(방법2) 각각의 수를 제곱하여 대소를 비교한다.

(단, 두 수는 모두 양수)

[예] $2^2=4$, $(\sqrt{3})^2=3$이므로 $4>3$ ∴ $2>\sqrt{3}$

답 ❶ $<$ ❷ $>$ ❸ $>$

예 1

다음 보기 중 옳지 <u>않은</u> 것을 모두 고르시오.

보기
○ 0의 제곱근은 1개이다.
○ 36의 제곱근은 ± 6이다.
○ 3의 제곱근과 제곱근 3은 같은 뜻이다.
○ -25의 제곱근은 -5이다.

➡ © 3의 제곱근은 ❶ [＿＿] 이고 제곱근 3은 ❷ [＿＿]
이다. 따라서 3의 제곱근과 제곱근 3은 다른 뜻이
다.
○ -25의 제곱근은 ❸ [＿＿].
따라서 옳지 않은 것은 ©, ©이다.

답 ❶ $\pm\sqrt{3}$ ❷ $\sqrt{3}$ ❸ 없다

예 1

다음 보기 중 'x는 15의 제곱근이다.'를 식으로 바르게
나타낸 것을 고르시오.

보기
○ $x=\sqrt{15}$　　　　○ $x=15^2$
○ $x^2=\sqrt{15}$　　　　○ $x^2=15$

➡ ©

예 2

다음 수의 제곱근을 구하시오.

(1) 16 　　　　　　　(2) $\dfrac{1}{16}$

➡ (1) $4^2=16$, $(-4)^2=16$이므로 16의 제곱근은
❶ [＿＿] 이다.

(2) $\left(\dfrac{1}{4}\right)^2=\dfrac{1}{16}$, $\left(-\dfrac{1}{4}\right)^2=\dfrac{1}{16}$이므로 $\dfrac{1}{16}$의 제곱근

은 ❷ [＿＿] 이다.

답 ❶ ± 4 ❷ $\pm\dfrac{1}{4}$

예 1

다음 ○ 안에 부등호 >, < 중 알맞은 것을 써넣으시
오.

(1) $\sqrt{7}\ \bigcirc\ \sqrt{5}$
(2) $-\sqrt{11}\ \bigcirc\ -\sqrt{5}$
(3) $3\ \bigcirc\ \sqrt{6}$
(4) $-\sqrt{0.2}\ \bigcirc\ -0.4$

➡ (1) 7>5이므로 $\sqrt{7}>\sqrt{5}$
(2) 11>5이므로 $\sqrt{11}>\sqrt{5}$
　　∴ $-\sqrt{11}$ ❶ [＿＿] $-\sqrt{5}$
(3) $3=\sqrt{9}$이므로 $\sqrt{9}>\sqrt{6}$　　∴ 3 ❷ [＿＿] $\sqrt{6}$
(4) $-0.4=-\sqrt{0.16}$이므로 $-\sqrt{0.2}<-\sqrt{0.16}$
　　∴ $-\sqrt{0.2}$ ❸ [＿＿] -0.4

답 ❶ < ❷ > ❸ <

예 1

다음 보기 중 옳은 것을 고르시오.

보기
○ $\sqrt{(-2)^2}=-2$　　　○ $-\sqrt{3^2}=3$
○ $-(-\sqrt{5})^2=5$　　　○ $\sqrt{(-6)^2}=6$

➡ ○ $\sqrt{(-2)^2}=2$
○ $-\sqrt{3^2}=$ ❶ [＿＿]
○ $-(-\sqrt{5})^2=$ ❷ [＿＿]
따라서 옳은 것은 ○이다.

답 ❶ -3 ❷ -5

예 2

$a<0$일 때 $\sqrt{a^2}+\sqrt{(-2a)^2}$을 간단히 하시오.

➡ $a<0$이므로 $-2a$ ❶ [＿＿] 0
　∴ $\sqrt{a^2}+\sqrt{(-2a)^2}=-a+($ ❷ [＿＿] $)$
　　　　　　　　　　$=$ ❸ [＿＿]

답 ❶ > ❷ $-2a$ ❸ $-3a$

핵심 정리 05 무리수와 실수

(1) **무리수** : ❶ [⬚] 가 아닌 수, 즉 순환소수가 아닌 무한소수

[주의] $\sqrt{(유리수)^2}$의 꼴은 근호를 사용하지 않고 나타낼 수 있으므로 무리수가 아니다.

(2) **실수** : 유리수와 무리수를 통틀어 ❷ [⬚] 라고 한다.

(3) **실수의 분류**

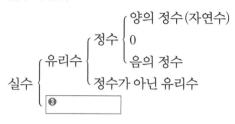

$$
실수 \begin{cases} 유리수 \begin{cases} 정수 \begin{cases} 양의\ 정수(자연수) \\ 0 \\ 음의\ 정수 \end{cases} \\ 정수가\ 아닌\ 유리수 \end{cases} \\ ❸\ [\quad] \end{cases}
$$

답 ❶ 유리수 ❷ 실수 ❸ 무리수

핵심 정리 06 실수와 수직선

(1) 모든 실수는 각각 수직선 위의 한 점에 대응한다.

(2) 서로 다른 두 실수 사이에는 무수히 많은 실수가 ❶ [⬚].

(3) 수직선은 ❷ [⬚] 에 대응하는 점으로 완전히 메울 수 있다.

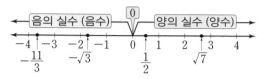

[참고] ① 점이 기준점의 왼쪽에 있다. ➡ $k-\sqrt{a}$
② 점이 기준점의 오른쪽에 있다. ➡ $k+\sqrt{a}$

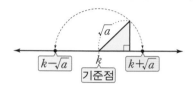

답 ❶ 있다 ❷ 실수

핵심 정리 07 실수의 대소 관계

(1) **실수의 대소 관계**

① 양수는 0보다 크고, 음수는 0보다 작다.
➡ (음수) < ❶ [⬚] < (양수)

② 양수끼리는 절댓값이 큰 수가 크다.

③ 음수끼리는 절댓값이 큰 수가 ❷ [⬚].

오른쪽으로 갈수록 커진다.

절댓값이 클수록 작다.　　절댓값이 클수록 크다.

(2) **두 실수 a, b의 대소 관계**

① $a-b>0$이면 $a>b$

② $a-b=0$이면 $a=b$

③ $a-b<0$이면 a ❸ [⬚] b

답 ❶ 0 ❷ 작다 ❸ <

핵심 정리 08 제곱근의 곱셈과 나눗셈

(1) **제곱근의 곱셈**

$a>0$, $b>0$이고 m, n이 유리수일 때

① $\sqrt{a} \times \sqrt{b} = \sqrt{ab}$

② $m\sqrt{a} \times n\sqrt{b} = $ ❶ [⬚] $\sqrt{ab}$

(2) **제곱근의 나눗셈**

$a>0$, $b>0$이고 m, n이 유리수일 때

① $\sqrt{a} \div \sqrt{b} = \sqrt{\dfrac{a}{b}}$

② $m\sqrt{a} \div n\sqrt{b} = $ ❷ [⬚] $\sqrt{\dfrac{a}{b}}$ (단, $n \neq 0$)

(3) **근호가 있는 식의 변형**

$a>0$, $b>0$일 때

① $\sqrt{a^2 b} = a\sqrt{b}$, $a\sqrt{b} = $ ❸ [⬚]

② $\sqrt{\dfrac{a}{b^2}} = \dfrac{\sqrt{a}}{❹\ [\quad]}$, $\dfrac{\sqrt{a}}{b} = \sqrt{\dfrac{a}{b^2}}$

답 ❶ mn ❷ $\dfrac{m}{n}$ ❸ $\sqrt{a^2 b}$ ❹ b

예1

다음 그림은 한 눈금의 길이가 1인 모눈종이 위에 직각 삼각형 ABC와 수직선을 그린 것이다. 점 C를 중심으로 하고 $\overline{CA}$를 반지름으로 하는 원을 그려 수직선과 만나는 두 점을 각각 P, Q라고 할 때, 두 점 P, Q에 대응하는 수를 구하시오.

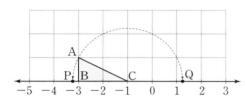

→ 피타고라스 정리에 의해

$\overline{CA}=\sqrt{1^2+2^2}=$ **❶**

점 C에 대응하는 수는 -1이고

$\overline{CP}=\overline{CQ}=\overline{CA}=\sqrt{5}$이므로 점 P에 대응하는 수는

❷ , 점 Q에 대응하는 수는

❸ 이다.

답 ❶ $\sqrt{5}$ **❷** $-1-\sqrt{5}$ **❸** $-1+\sqrt{5}$

예1

다음 **보기** 중 옳지 않은 것을 모두 고르시오.

보기

㉠ 유한소수는 유리수이다.
㉡ 무한소수는 모두 무리수이다.
㉢ 유리수와 무리수를 통틀어 실수라고 한다.
㉣ 근호를 사용하여 나타낸 수는 모두 무리수이다.

→ ㉡ 무한소수 중 순환소수는 **❶** 이다.
㉣ $\sqrt{4}=2$와 같이 근호를 사용하여 나타낸 수가 모두 무리수인 것은 아니다.
따라서 옳지 않은 것은 ㉡, ㉣이다.

답 ❶ 유리수

예1

다음 **보기** 중 옳은 것을 고르시오.

보기

㉠ $\sqrt{5}\sqrt{7}=35$ ㉡ $\sqrt{48}\div\sqrt{3}=4$
㉢ $\sqrt{44}=4\sqrt{11}$ ㉣ $-3\sqrt{3}=\sqrt{-27}$

→ ㉠ $\sqrt{5}\sqrt{7}=$ **❶**
㉡ $\sqrt{48}\div\sqrt{3}=\sqrt{16}=$ **❷**
㉢ $\sqrt{44}=\sqrt{2^2\times11}=$ **❸** $\sqrt{11}$
㉣ $-3\sqrt{3}=-\sqrt{3^2\times3}=$ **❹**

따라서 옳은 것은 ㉡이다.

답 ❶ $\sqrt{35}$ **❷** 4 **❸** 2 **❹** $-\sqrt{27}$

예1

다음 ○ 안에 부등호 $>$, $<$ 중 알맞은 것을 써넣으시오.

(1) $2+\sqrt{2}$ ○ $2+\sqrt{3}$
(2) $\sqrt{7}-\sqrt{3}$ ○ $\sqrt{7}-2$
(3) $1-\sqrt{2}$ ○ $\sqrt{5}-\sqrt{2}$

→ (1) $(2+\sqrt{2})-(2+\sqrt{3})=\sqrt{2}-\sqrt{3}<0$
∴ $2+\sqrt{2}$ **❶** $2+\sqrt{3}$
(2) $(\sqrt{7}-\sqrt{3})-(\sqrt{7}-2)=-\sqrt{3}+2>0$
∴ $\sqrt{7}-\sqrt{3}$ **❷** $\sqrt{7}-2$
(3) $(1-\sqrt{2})-(\sqrt{5}-\sqrt{2})=1-\sqrt{5}<0$
∴ $1-\sqrt{2}$ **❸** $\sqrt{5}-\sqrt{2}$

답 ❶ $<$ **❷** $>$ **❸** $<$

핵심 정리 09 분모의 유리화

분수의 분모가 근호를 포함한 무리수일 때, 분모와 분자에 각각 0이 아닌 같은 수를 곱하여 분모를 유리수로 고치는 것을 분모의 **❶**　　　　　라고 한다.

$a>0$, $b>0$일 때

(1) $\dfrac{\sqrt{a}}{\sqrt{b}}=\dfrac{\sqrt{a}\times\sqrt{b}}{\sqrt{b}\times\sqrt{b}}=$ **❷**

　예　$\dfrac{\sqrt{2}}{\sqrt{3}}=\dfrac{\sqrt{2}\times\sqrt{3}}{\sqrt{3}\times\sqrt{3}}=\dfrac{\sqrt{6}}{3}$

(2) $\dfrac{c}{a\sqrt{b}}=\dfrac{c\times\sqrt{b}}{a\sqrt{b}\times\sqrt{b}}=$ **❸**

　예　$\dfrac{5}{2\sqrt{3}}=\dfrac{5\times\sqrt{3}}{2\sqrt{3}\times\sqrt{3}}=\dfrac{5\sqrt{3}}{6}$

답 ❶ 유리화 ❷ $\dfrac{\sqrt{ab}}{b}$ ❸ $\dfrac{c\sqrt{b}}{ab}$

핵심 정리 10 제곱근표에 없는 제곱근의 값

a가 제곱근표에 있는 수일 때

(1) $\sqrt{100a}=10\sqrt{a}$, $\sqrt{10000a}=$ **❶**　　$\sqrt{a}$

(2) $\sqrt{\dfrac{a}{100}}=\dfrac{\sqrt{a}}{\boxed{\textbf{❷}}}$, $\sqrt{\dfrac{a}{10000}}=\dfrac{\sqrt{a}}{100}$

　예　제곱근표에서 $\sqrt{2}=1.414$이므로

$\sqrt{200}=\sqrt{100\times2}=$ **❸**　　$\sqrt{2}$
$=10\times1.414=14.14$

$\sqrt{0.02}=\sqrt{\dfrac{2}{100}}=\dfrac{\sqrt{2}}{\boxed{\textbf{❹}}}$
$=\dfrac{1.414}{10}=0.1414$

답 ❶ 100 ❷ 10 ❸ 10 ❹ 10

핵심 정리 11 제곱근의 덧셈과 뺄셈

(1) **제곱근의 덧셈과 뺄셈**

m, n이 유리수이고 $a>0$일 때
① $m\sqrt{a}+n\sqrt{a}=($ **❶**　　$)\sqrt{a}$
② $m\sqrt{a}-n\sqrt{a}=($ **❷**　　$)\sqrt{a}$

(2) **근호를 포함한 복잡한 식의 계산**

① 근호 안의 제곱인 인수는 근호 밖으로 꺼낸다.
② 분배법칙을 이용하여 괄호를 푼다.
③ 분모에 근호를 포함한 무리수가 있으면 분모를
　　 ❸　　　　한다.
④ 곱셈과 나눗셈을 계산한 후에 덧셈과 뺄셈을 계산한다.

> 제곱인 인수는 근호 밖으로!

> √ 안의 숫자가 같은 것끼리 계산!

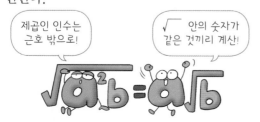

답 ❶ $m+n$ ❷ $m-n$ ❸ 유리화

핵심 정리 12 곱셈 공식

(1) **다항식과 다항식의 곱셈**

분배법칙을 이용하여 전개하고 **❶**　　　　이 있으면 간단히 정리한다.

$\rightarrow (a+b)(c+d)=\underset{①}{ac}+\underset{②}{ad}+\underset{③}{bc}+\underset{④}{bd}$

(2) **곱셈 공식**

① $(a+b)^2=a^2$ **❷**　　$+b^2$
　　$(a-b)^2=a^2$ **❸**　　$+b^2$
② $(a+b)(a-b)=$ **❹**
③ $(x+a)(x+b)=x^2+(a+b)x+ab$
④ $(ax+b)(cx+d)=acx^2+(ad+bc)x+bd$

답 ❶ 동류항 ❷ $+2ab$ ❸ $-2ab$ ❹ a^2-b^2

예 1

$\sqrt{5}=2.236$, $\sqrt{50}=7.071$일 때, 다음 보기 중 옳은 것을 고르시오.

보기
ㄱ $\sqrt{500}=70.71$　　ㄴ $\sqrt{5000}=223.6$
ㄷ $\sqrt{0.5}=0.7071$　　ㄹ $\sqrt{0.005}=0.02236$

→ ㄱ $\sqrt{500}=\sqrt{100\times5}=10\sqrt{5}=10\times2.236=22.36$

ㄴ $\sqrt{5000}=\sqrt{100\times50}=\boxed{①}\sqrt{50}$
$=10\times7.071=70.71$

ㄷ $\sqrt{0.5}=\sqrt{\dfrac{50}{100}}=\dfrac{\boxed{②}}{10}=\dfrac{7.071}{10}=0.7071$

ㄹ $\sqrt{0.005}=\sqrt{\dfrac{50}{10000}}=\dfrac{\sqrt{50}}{\boxed{③}}$

$=\dfrac{7.071}{100}=0.07071$

따라서 옳은 것은 ㄷ이다.

답 ① 10 ② $\sqrt{50}$ ③ 100

예 1

다음 보기 중 분모를 유리화한 것으로 옳지 <u>않은</u> 것을 고르시오.

보기
ㄱ $\dfrac{1}{\sqrt{3}}=\dfrac{\sqrt{3}}{3}$　　ㄴ $\dfrac{6}{\sqrt{2}}=\dfrac{3\sqrt{2}}{2}$
ㄷ $\dfrac{3}{2\sqrt{5}}=\dfrac{3\sqrt{5}}{10}$　　ㄹ $\dfrac{\sqrt{5}}{\sqrt{18}}=\dfrac{\sqrt{10}}{6}$

→ ㄱ $\dfrac{1}{\sqrt{3}}=\dfrac{1\times\sqrt{3}}{\sqrt{3}\times\sqrt{3}}=\dfrac{\sqrt{3}}{3}$

ㄴ $\dfrac{6}{\sqrt{2}}=\dfrac{6\times\sqrt{2}}{\sqrt{2}\times\sqrt{2}}=\dfrac{6\sqrt{2}}{2}=\boxed{①}$

ㄷ $\dfrac{3}{2\sqrt{5}}=\dfrac{3\times\sqrt{5}}{2\sqrt{5}\times\sqrt{5}}=\dfrac{3\sqrt{5}}{10}$

ㄹ $\dfrac{\sqrt{5}}{\sqrt{18}}=\dfrac{\sqrt{5}}{3\sqrt{2}}=\dfrac{\sqrt{5}\times\boxed{②}}{3\sqrt{2}\times\boxed{②}}=\boxed{③}$

따라서 옳지 않은 것은 ㄴ이다.

답 ① $3\sqrt{2}$ ② $\sqrt{2}$ ③ $\dfrac{\sqrt{10}}{6}$

예 1

다음 보기 중 옳은 것을 고르시오.

보기
ㄱ $(x+7)^2=x^2+49$
ㄴ $(-x-4)(-x+4)=-x^2-16$
ㄷ $(x+6)(x-5)=x^2-x-30$
ㄹ $(5x-1)(4x-5)=20x^2-29x+5$

→ ㄱ $(x+7)^2=x^2+14x+49$

ㄴ $(-x-4)(-x+4)=\boxed{①}-16$

ㄷ $(x+6)(x-5)=x^2+\boxed{②}-30$

따라서 옳은 것은 ㄹ이다.

답 ① x^2 ② x

예 1

다음을 계산하시오.

$$\dfrac{3\sqrt{6}-4}{\sqrt{2}}-\sqrt{2}(2-\sqrt{6})$$

→ $\dfrac{3\sqrt{6}-4}{\sqrt{2}}-\sqrt{2}(2-\sqrt{6})$

$=3\sqrt{3}-\dfrac{4}{\sqrt{2}}-2\sqrt{2}+\sqrt{12}$

$=3\sqrt{3}-\dfrac{4\times\boxed{①}}{\sqrt{2}\times\boxed{①}}-2\sqrt{2}+2\sqrt{3}$

$=3\sqrt{3}-\boxed{②}-2\sqrt{2}+2\sqrt{3}$

$=\boxed{③}$

답 ① $\sqrt{2}$ ② $2\sqrt{2}$ ③ $5\sqrt{3}-4\sqrt{2}$

분모가 2개의 항으로 되어 있는 무리수일 때에는 곱셈 공식 $(a+b)(a-b)=a^2-b^2$을 이용하여 분모를 유리화한다.

$a>0, b>0$일 때

(1) $\dfrac{c}{\sqrt{a}+\sqrt{b}}=\dfrac{c(\boxed{\text{❶}})}{(\sqrt{a}+\sqrt{b})(\boxed{\text{❶}})}$

$=\dfrac{c(\sqrt{a}-\sqrt{b})}{\boxed{\text{❷}}}$

(2) $\dfrac{c}{a+\sqrt{b}}=\dfrac{c(\boxed{\text{❸}})}{(a+\sqrt{b})(\boxed{\text{❸}})}$

$=\dfrac{c(a-\sqrt{b})}{\boxed{\text{❹}}}$

답 ❶ $\sqrt{a}-\sqrt{b}$ ❷ $a-b$ ❸ $a-\sqrt{b}$ ❹ a^2-b

(1) **인수** : 하나의 다항식을 두 개 이상의 다항식의 $\boxed{\text{❶}}$으로 나타낼 때, 각각의 다항식

(2) **인수분해** : 하나의 다항식을 두 개 이상의 $\boxed{\text{❷}}$의 곱으로 나타내는 것

$$x^2+5x+6 \underset{\text{전개}}{\overset{\text{인수분해}}{\longleftarrow}} (x+2)(x+3)$$
인수

(3) **공통인 인수를 이용한 인수분해**

분배법칙을 이용하여 공통인 인수를 묶어 내어 인수분해한다.

→ $ma+mb=\boxed{\text{❸}}(a+b)$

[참고] 인수분해할 때에는 공통인 인수가 남지 않도록 모두 묶어 낸다.

답 ❶ 곱 ❷ 인수 ❸ m

(1) $a^2+2ab+b^2=(a+b)^2$

(2) $a^2-2ab+b^2=(\boxed{\text{❶}})^2$

(3) **완전제곱식** : 어떤 다항식의 제곱으로 된 식 또는 이 식에 수를 곱한 식

(4) **완전제곱식이 되기 위한 조건**

① x^2+ax+b가 완전제곱식이 되기 위한 b의 조건

→ $b=\left(\boxed{\dfrac{\text{❷}}{}}\right)^2$

② x^2+ax+b가 완전제곱식이 되기 위한 a의 조건

→ $a=\boxed{\text{❸}}$

답 ❶ $a-b$ ❷ $\dfrac{a}{2}$ ❸ $\pm2\sqrt{b}$

(1) $a^2-b^2=(a+b)(\boxed{\text{❶}})$

(2) $x^2+(a+b)x+ab=(x+a)(\boxed{\text{❷}})$

(3) $acx^2+(ad+bc)x+bd$
$=(ax+b)(\boxed{\text{❸}})$

[주의] 모든 항에 공통으로 들어 있는 인수가 있으면 공통인 인수로 먼저 묶어 낸 후 인수분해 공식을 이용한다.

답 ❶ $a-b$ ❷ $x+b$ ❸ $cx+d$

[예 1]

다음 **보기** 중 $xy(x+y)$의 인수가 <u>아닌</u> 것을 고르시오.

보기
> ㉠ x ㉢ y
> ㉢ $x+y$ ㉣ $x-y$

→ ㉣

[예 2]

다음 중 인수분해한 것이 옳지 <u>않은</u> 것은?

① $ax+5ay=a(x+5y)$

② $x^2-2ax=x(x-2a)$

③ $8x^2-4xy=4x(2x-y)$

④ $ax+ay-az=a(x+y-z)$

⑤ $2x^2+4x=2(x^2+2x)$

→ ⑤ $2x^2+4x=2x(\boxed{❶})$

답 ❶ $x+2$

[예 1]

다음 수의 분모를 유리화하시오.

(1) $\dfrac{1}{\sqrt{3}+\sqrt{2}}$

(2) $\dfrac{\sqrt{2}-1}{\sqrt{2}+1}$

→ (1) $\dfrac{1}{\sqrt{3}+\sqrt{2}} = \dfrac{\boxed{❶}}{(\sqrt{3}+\sqrt{2})(\boxed{❶})}$

$= \dfrac{\sqrt{3}-\sqrt{2}}{(\sqrt{3})^2-(\sqrt{2})^2}$

$= \sqrt{3}-\sqrt{2}$

(2) $\dfrac{\sqrt{2}-1}{\sqrt{2}+1} = \dfrac{(\boxed{❷})^2}{(\sqrt{2}+1)(\boxed{❷})}$

$= \dfrac{(\sqrt{2})^2-2\times\sqrt{2}\times1+1^2}{(\sqrt{2})^2-1^2}$

$= \boxed{❸}$

답 ❶ $\sqrt{3}-\sqrt{2}$ ❷ $\sqrt{2}-1$ ❸ $3-2\sqrt{2}$

[예 1]

다음 세 다항식의 공통인 인수를 구하시오.

> $x^2-9, \ x^2+3x-18, \ 3x^2-7x-6$

→ $x^2-9=(x+3)(\boxed{❶})$

$x^2+3x-18=(\boxed{❷})(x-3)$

$3x^2-7x-6=(3x+2)(\boxed{❸})$

따라서 세 다항식의 공통인 인수는 $\boxed{❹}$ 이다.

답 ❶ $x-3$ ❷ $x+6$ ❸ $x-3$ ❹ $x-3$

[예 1]

다음 다항식을 인수분해하시오

(1) $x^2-10x+25$ (2) $4x^2+12x+9$

→ (1) $x^2-10x+25=x^2-2\times x\times5+5^2$

$=(\boxed{❶})^2$

(2) $4x^2+12x+9=(2x)^2+2\times2x\times3+3^2$

$=(\boxed{❷})^2$

답 ❶ $x-5$ ❷ $2x+3$

[예 2]

다음 다항식이 완전제곱식이 되도록 하는 상수 A, B의 값을 구하시오.

(1) $x^2-12x+A$ (2) $4x^2+Bx+9$

→ (1) $A=\left(\dfrac{\boxed{❶}}{2}\right)^2=\boxed{❷}$

(2) $B=\pm2\times2\times\boxed{❸}=\boxed{❹}$

답 ❶ -12 ❷ 36 ❸ 3 ❹ ±12

book.chunjae.co.kr

교재 내용 문의	교재 홈페이지 ▶ 중등 ▶ 교재상담
교재 내용 외 문의	교재 홈페이지 ▶ 고객센터 ▶ 1:1문의
발간 후 발견되는 오류	교재 홈페이지 ▶ 중등 ▶ 학습지원 ▶ 학습자료실

7일 끝

중간고사
기말고사

7일 끝으로 끝내자!

중학 수학 3-1

BOOK 2
기말고사대비

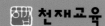
천재교육

언제나 만점이고 싶은 친구들

Welcome!

숨 돌릴 틈 없이 찾아오는 시험과 평가.
성적과 입시 그리고 미래에 대한 걱정.
중·고등학교에서 보내는 6년이란 시간은
때때로 힘들고, 버겁게 느껴지곤 해요.

그런데 여러분, 그거 아세요?
지금 이 시기가 노력의 대가를
가장 잘 확인할 수 있는 시간이라는 걸요.

안 돼, 못하겠어, 해도 안 될 텐데—
어렵게 생각하지 말아요. 천재교육이 있잖아요.
첫 시작의 두려움을 첫 마무리의 뿌듯함으로 바꿔줄게요.

펜을 쥐고 이 책을 펼친 순간
여러분 앞에 무한한 가능성의 길이 열렸어요.

우리와 함께 꽃길을 향해 걸어가 볼까요?

#시험대비
#핵심정복

7일 끝
중간고사
기말고사

Chunjae
Makes
Chunjae

▼

저자	최용준, 해법수학연구회
제작	황성진, 조규영

발행일	2021년 3월 15일 초판 2021년 3월 15일 1쇄
발행인	(주)천재교육
주소	서울시 금천구 가산로9길 54
신고번호	제2001-000018호
고객센터	1577-0902
교재 내용문의	(02)3282-8852

7일 끝으로 끝내자!

중학 **수학** 3-1

BOOK 2

기 말 고 사 대 비

7일 끝 중학 수학

구성과 활용

생각 열기

공부할 내용을 만화로 가볍게 살펴보며 학습을 준비해 보세요.

❶ 공부할 내용을 살피며 핵심 학습 요소를 확인해 보세요.

❷ 이것만은 꼭꼭!을 통해 실수하기 쉬운 개념을 짚어 보세요.

본격
공부 중

교과서 **핵심 정리** + 시험지 속 **개념 문제**

꼭 알아야 할 교과서 핵심 내용을 익히고 시험지 속 개념 문제를 풀며 제대로 이해했는지 확인해 보세요.

❶ 빈칸을 채우며 교과서 핵심 내용을 다시 한번 확인해 보세요.

❷ 교과서 핵심과 관련된 시험지 속 개념 문제를 풀며 공부한 내용을 확인해 보세요.

교과서 **기출 베스트 1회, 2회**

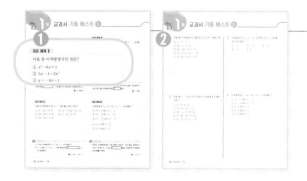

다양한 유형의 문제를 풀어 보며 공부한 내용을 점검해 보세요.

❶ 교과서 기출 베스트 1회에서는 대표 예제 문제를 풀며 시험에 자주 나오는 문제를 확인해 보세요.

❷ 교과서 기출 베스트 1회와 쌍둥이 문제로 구성된 교과서 기출 베스트 2회를 한번 더 풀면서 실력을 다져 보세요.

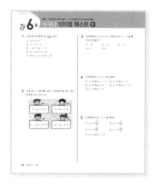

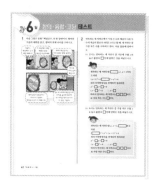

누구나 100점 테스트
1회, 2회

앞에서 공부한 개념을 이해
했는지 문제를 풀어 점검해
보세요.

서술형·사고력 테스트

서술형·사고력 문제를 집중
적으로 풀며 서술형·사고력
문제에 대한 적응력을 높여
보세요.

창의·융합·코딩 테스트

앞에서 공부한 개념이 어떻
게 이용되는지 알고 문제 해
결력을 키워 보세요.

기말고사 기본 테스트
1회, 2회

시험 문제에 가까운 예상 문
제를 풀며 실전에 대비해 보
세요.

틈틈이·짬짬이 공부하기

핵심 정리 총집합 카드를 휴대
하며 이동하는 중이나 시험 직
전에 활용해 보세요.

7일 끝 중학 수학 3-1 기말

차례

이차방정식의 뜻과 풀이

공부할 내용

❶ 이차방정식의 뜻과 해
❷ 인수분해를 이용한 이차방정식의 풀이
❸ 이차방정식의 중근
❹ 제곱근을 이용한 이차방정식의 풀이

이것만은 꼭꼭!

1. 등식에서 우변의 모든 항을 좌변으로 이항하여 정리한 식이 (x에 대한 이차식)$=0$의 꼴로 나타나는 방정식을 x에 대한 ❶ 이라고 한다.

2. 이차방정식 $x^2+ax+b=0$이 중근을 가지려면 $b=\left(\boxed{❷}\right)^2$이어야 한다.

3. 이차방정식 $(x-p)^2=q\,(q>0)$의 해는 $x=\boxed{❸}$이다.

답 ❶ 이차방정식 ❷ $\dfrac{a}{2}$ ❸ $p\pm\sqrt{q}$

핵심 1 **이차방정식의 뜻과 해**

(1) **이차방정식** : 등식에서 우변의 모든 항을 좌변으로 이항하여 정리한 식이
(x에 대한 [❶⬜⬜⬜⬜])$=0$의 꼴로 나타나는 방정식을 x에 대한 이차방정식이라
고 한다.

❶ 이차식

$$ax^2+bx+c=0 \ (단, \ a, \ b, \ c는 \ 상수, \ a \neq [❷⬜])$$

❷ 0

예) $3x^2+4=2x^2+x$에서 $x^2-x+4=0$ → [❸⬜⬜⬜]방정식

❸ 이차

$4x^2-4=4x^2-3x-5$에서 $3x+1=0$ → [❹⬜⬜⬜]방정식

❹ 일차

주의 이차방정식이 되려면 반드시 (이차항의 계수)$\neq 0$이어야 한다.

(2) **이차방정식의 해(근)** : x에 대한 이차방정식을 [❺⬜]이 되게 하는 x의 값

❺ 참

예) x의 값이 $-2, -1, 0, 1$일 때, 이차방정식 $x^2+x-2=0$의 해를 구하시오.
x에 $-2, -1, 0, 1$을 각각 대입하면 다음 표와 같다.

x의 값	좌변	우변	참 / 거짓
-2	$(-2)^2+(-2)-2=0$	0	참
-1	$(-1)^2+(-1)-2=-2$	0	거짓
0	$0^2+0-2=-2$	0	거짓
1	$1^2+1-2=0$	0	참

즉 $x^2+x-2=0$을 참이 되게 하는 x의 값은 $-2, 1$이므로
이차방정식 $x^2+x-2=0$의 해는 $x=-2$ 또는 $x=1$이다.

핵심 2 **인수분해를 이용한 이차방정식의 풀이**

(1) $AB=0$**의 성질** : 두 수 또는 두 식 A, B에 대하여
$AB=0$이면 $A=0$ [❻⬜⬜] $B=0$

❻ 또는

(2) **인수분해를 이용한 이차방정식의 풀이**

① 주어진 이차방정식을 (x에 대한 [❼⬜⬜⬜⬜])$=0$의 꼴로 정리한다.

❼ 이차식

② 좌변을 [❽⬜⬜⬜⬜⬜]한다.

❽ 인수분해

③ $AB=0$이면 $A=0$ 또는 $B=0$임을 이용하여 해를 구한다.

예) 이차방정식 $x^2-5x+6=0$에서 좌변을 인수분해하면
$(x-2)(x-3)=0, \ x-2=0$ 또는 $x-3=0$
$\therefore x=2$ 또는 $x=3$

시험지 속 개념 문제

정답과 풀이 **74쪽**

1 다음 식이 이차방정식이면 ○표, 이차방정식이 아니면 ×표를 (   ) 안에 써넣으시오.

(1) x^2+2x+1　　　　　　　(　　　)

(2) $x^2=0$　　　　　　　　　(　　　)

(3) $(x+3)(x-1)=0$　　　　(　　　)

(4) $(2x-1)^2=4x^2-7$　　　(　　　)

2 다음 보기의 이차방정식 중에서 $x=2$를 해로 갖는 것을 모두 고르시오.

┌ 보기 ┐
⊙ $-x^2+2x+2=0$　　ⓛ $x^2+2x-8=0$
ⓒ $x^2+3x-2=0$　　ⓔ $x^2-4=0$

3 다음 [　] 안의 수가 주어진 이차방정식의 해이면 ○표, 해가 아니면 ×표를 (   ) 안에 써넣으시오.

(1) $x^2-4x-12=0$ [2]　　(　　　)

(2) $2x^2-3x+1=0$ [1]　　(　　　)

(3) $3x^2+4x+1=0$ [−1]　(　　　)

(4) $2x^2=3(x+2)$ [−2]　　(　　　)

4 다음 이차방정식을 푸시오.

(1) $(x+5)(x+7)=0$

(2) $(2x+3)(3x-5)=0$

5 다음 이차방정식을 인수분해를 이용하여 푸시오.

(1) $x^2+6x-16=0$

(2) $2x^2+3x-5=0$

6 다음 중 이차방정식 $x^2+4x=0$의 해가 적힌 카드를 모두 고르시오.

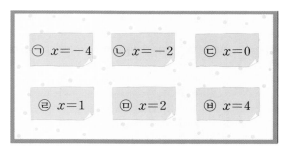

1일 교과서 **핵심 정리**

핵심 3 이차방정식의 중근

(1) **중근** : 이차방정식의 두 해가 중복일 때, 이 해를 주어진 이차방정식의 ❶ □□ 이 라고 한다.

❶ 중근

→ $a(x-p)^2=0$ ∴ $x=$ ❷ □

❷ p

[예] 이차방정식 $x^2-2x+1=0$에서 좌변을 인수분해하면

$(x-1)^2=0$ ∴ $x=$ ❸ □

❸ 1

(2) **이차방정식이 중근을 가질 조건**

① 이차방정식이 (❹ □□□□□)$=0$의 꼴로 변형되면 이 이차방정식은 중근을 갖는다.

❹ 완전제곱식

② 이차방정식 $x^2+ax+b=0$이 중근을 가지려면 $b=\left(\dfrac{❺ \quad}{2}\right)^2$이어야 한다.

❺ a

[참고] 이차방정식 $x^2+ax+b=0$이 중근을 가지려면 좌변이 완전제곱식이어야 하므로

$x^2+ax+b=x^2+2\times x\times\dfrac{a}{2}+\left(\dfrac{a}{2}\right)^2$ ∴ $b=\left(\dfrac{a}{2}\right)^2$

[예] ① 이차방정식 $x^2+4x+k=0$이 중근을 가지려면

$k=\left(\dfrac{4}{2}\right)^2=4$

② 이차방정식 $x^2+kx+16=0$이 중근을 가지려면

$16=\left(\dfrac{k}{2}\right)^2$에서 $k^2=64$ ∴ $k=$ ❻ □

❻ ± 8

핵심 4 제곱근을 이용한 이차방정식의 풀이

(1) **이차방정식 $x^2=q(q>0)$의 해**

→ $x=$ ❼ □

❼ $\pm\sqrt{q}$

[예] 이차방정식 $x^2-2=0$에서 $x^2=2$ ∴ $x=\pm\sqrt{2}$

[주의] $q=0$이면 이차방정식 $x^2=q$, 즉 $x^2=0$은 중근 $x=0$을 갖는다.

(2) **이차방정식 $(x-p)^2=q(q>0)$의 해**

→ $x-p=\pm\sqrt{q}$ ∴ $x=$ ❽ □

❽ $p\pm\sqrt{q}$

[예] ① 이차방정식 $(x-1)^2=3$에서 $x-1=\pm\sqrt{3}$ ∴ $x=1\pm\sqrt{3}$

② 이차방정식 $(x-2)^2=1$에서 $x-2=\pm 1$

$x-2=-1$ 또는 $x-2=1$ ∴ $x=1$ 또는 $x=3$

시험지 속 개념 문제

정답과 풀이 **74쪽**

7 다음 이차방정식을 푸시오.

(1) $x^2 - 10x + 25 = 0$

(2) $4x^2 - 12x + 9 = 0$

8 다음 보기의 이차방정식 중에서 중근을 갖는 것을 모두 고르시오.

> 보기
>
> ㉠ $x^2 - 36 = 0$ ㉡ $9x^2 - 6x + 1 = 0$
>
> ㉢ $(x - 1)^2 = 25$ ㉣ $x(x - 4) = -4$

9 다음 이차방정식이 중근을 가질 때, 상수 k의 값을 구하시오.

(1) $x^2 - 12x + k = 0$

(2) $x^2 + kx + 64 = 0$

10 다음 이차방정식을 제곱근을 이용하여 푸시오.

(1) $3x^2 = 21$

(2) $4x^2 - 36 = 0$

(3) $(x - 2)^2 = 16$

(4) $2(x + 3)^2 = 12$

(5) $2(x - 2)^2 - 7 = 0$

11 이차방정식 $(x + 3)^2 = a$의 해가 $x = b \pm \sqrt{2}$일 때, $a + b$의 값을 구하시오. (단, a, b는 유리수)

대표 예제 1

다음 중 이차방정식인 것은?

① x^2-6x+1

② $5x-1=2x^3$

③ $y=-6x-1$

④ $3x^2+2x=2x^2+2x-1$

⑤ $4x^3-5x^2-2x+3=-4x^3+5x^2$

개념 가이드

등식에서 우변의 모든 항을 좌변으로 이항하여 정리한 식이
(x에 대한 ①⬚)=0의 꼴이면 x에 대한 이차방정식이다.

탑 ① 이차식

대표 예제 3

이차방정식 $2x^2+5x+a=0$의 한 근이 $x=-2$일 때, 상수 a의 값은?

① 2   ② 3   ③ 4

④ 5   ⑤ 6

개념 가이드

이차방정식의 한 근이 주어졌을 때, 미지수의 값을 구하려면 주어진 한 근을 이차방정식에 ①⬚ 한다.

탑 ① 대입

대표 예제 2

다음 이차방정식 중 $x=-1$을 해로 갖는 것은?

① $x^2-3x+4=0$ ② $(x-1)(2x+3)=0$

③ $2x^2+5x+3=0$ ④ $x^2-2x+1=0$

⑤ $3x^2+2x+1=0$

개념 가이드

$x=m$이 이차방정식 $ax^2+bx+c=0$의 해이다.

→ $x=m$을 $ax^2+bx+c=0$에 대입하면 ①⬚ =0
이 성립한다.

탑 ① am^2+bm+c

대표 예제 4

이차방정식 $(x+3)(2x+1)=-2$의 해는?

① $x=-7$ 또는 $x=-1$

② $x=-5$ 또는 $x=-2$

③ $x=-\dfrac{5}{2}$ 또는 $x=-1$

④ $x=1$ 또는 $x=\dfrac{5}{2}$

⑤ $x=2$ 또는 $x=5$

개념 가이드

주어진 이차방정식을 (x에 대한 이차식)=0의 꼴로 정리하고 $AB=0$이면 $A=0$ 또는 ①⬚ 임을 이용하여 이차방정식의 해를 구한다.

탑 ① $B=0$

대표 예제 **5**

다음 두 이차방정식의 공통인 해를 구하시오.

$x^2+5x+4=0$

$x^2-16=0$

두 이차방정식의 공통인 해는 두 이차방정식을 동시에 만족하는
① [   ]이다.

답 ① 해

대표 예제 **6**

이차방정식 $x^2-10x+a=0$의 한 근이 $x=2$일 때,
다른 한 근을 $x=b$라고 하자. 이때 $a+b$의 값은?

(단, a는 상수)

① 20   ② 22   ③ 24

④ 26   ⑤ 28

먼저 주어진 한 근을 이차방정식에 대입하여 미지수 ① [   ]의 값
을 구하고, 이차방정식을 푼다.

답 ① a

대표 예제 **7**

이차방정식 $2x^2-8x+k=0$이 중근을 가질 때, 상수
k의 값은?

① -4 ② 2   ③ 8

④ 12   ⑤ 16

이차방정식 $x^2+ax+b=0$이 중근을 가지려면 $b=\left(\boxed{①}\right)^2$
이어야 한다. x^2의 계수가 1이 아닐 때에는 x^2의 계수를 1로 만든
후 중근을 가질 조건을 생각한다.

답 ① $\dfrac{a}{2}$

대표 예제 **8**

이차방정식 $4\left(x-\dfrac{1}{2}\right)^2-9=0$을 풀면?

① $x=-3$ 또는 $x=2$

② $x=-1$ 또는 $x=2$

③ $x=-1$ 또는 $x=3$

④ $x=1$ 또는 $x=3$

⑤ $x=2$

이차방정식 $(x-p)^2=q\,(q>0)$의 해는 $x=\boxed{①}$임을
이용한다.

답 ① $p\pm\sqrt{q}$

교과서 기출 베스트 2회

1 다음 중 이차방정식인 것을 모두 고르면? (정답 2개)

① $x-3=-2$
② $3x^2+x-5=0$
③ $2x^2+5x=2(x^2-1)$
④ $(x+1)(x-4)=-3x$
⑤ $x^3-3x^2+2x-1=0$

2 다음 중 [ ] 안의 수가 주어진 이차방정식의 해인 것은?

① $x^2-6=0$ [6]
② $x^2+2x=0$ [-2]
③ $2x^2-x-3=0$ [1]
④ $x^2+8x+12=0$ [6]
⑤ $x^2-2x-5=0$ [-5]

3 이차방정식 $2x^2+ax-6=0$의 한 근이 $x=3$일 때, 상수 a의 값은?

① -4　② -3　③ -2
④ -1　⑤ 0

4 이차방정식 $x^2-8x+15=2(x-3)$의 해는?

① $x=-7$ 또는 $x=-3$
② $x=-5$ 또는 $x=-3$
③ $x=3$ 또는 $x=5$
④ $x=3$ 또는 $x=7$
⑤ $x=5$ 또는 $x=7$

5 다음 두 이차방정식의 공통인 해는?

$$x^2-6x-16=0, \ 3x^2+4x-4=0$$

① $x=-2$ ② $x=-1$ ③ $x=0$

④ $x=1$ ⑤ $x=2$

6 이차방정식 $x^2+kx+5=0$의 한 근이 $x=-1$일 때, 다른 한 근은? (단, k는 상수)

① $x=-5$ ② $x=-2$ ③ $x=-\dfrac{1}{5}$

④ $x=\dfrac{1}{5}$ ⑤ $x=5$

7 이차방정식 $x^2-ax+25=0$이 중근을 갖기 위한 양수 a의 값은?

① 2   ② 4   ③ 6

④ 8   ⑤ 10

이 문제에서 b는 25야.

$x^2+ax+b=0$이

중근을 가지려면

➡ $b=\left(\dfrac{a}{2}\right)^2$

8 이차방정식 $(2x-1)^2-7=0$의 해가 $x=\dfrac{a\pm\sqrt{b}}{2}$일 때, ab의 값은? (단, a, b는 유리수)

① -14 ② -7 ③ -1

④ 7   ⑤ 14

공부할 내용
❶ 완전제곱식을 이용한 이차방정식의 풀이
❷ 이차방정식의 근의 공식
❸ 복잡한 이차방정식의 풀이
❹ 이차방정식의 활용

이것만은 꼭꼭!

1. 이차방정식 $ax^2+bx+c=0\,(a\neq0)$의 해는 $x=\dfrac{-b\pm\sqrt{b^2-4ac}}{\boxed{❶}}$ (단, $b^2-4ac\geq0$)이다.

2. 복잡한 이차방정식의 풀이

   (1) 괄호가 있으면 괄호를 풀고 $\boxed{❷}=0$의 꼴로 정리한다.

   (2) 계수가 소수이면 양변에 10의 거듭제곱을 곱하고, 계수가 분수이면 양변에 분모의 $\boxed{❸}$를 곱하여 계수를 $\boxed{❹}$로 고친다.

답 ❶ $2a$ ❷ ax^2+bx+c ❸ 최소공배수 ❹ 정수

교과서 **핵심 정리**

핵심 1 완전제곱식을 이용한 이차방정식의 풀이

이차방정식 $ax^2+bx+c=0\,(a\neq0)$의 좌변이 인수분해되지 않을 때에는 완전제곱식의 꼴로 변형하여 해를 구할 수 있다.

① 양변을 이차항의 계수로 나누어 이차항의 계수를 ❶ ☐ 로 만든다.	$2x^2-8x+2=0$에서 $x^2-4x+1=0$	❶ 1
② ❷ ☐ 을 우변으로 이항한다.	$x^2-4x=-1$	❷ 상수항
③ 양변에 $\left(\dfrac{x의\ 계수}{❸\ ☐}\right)^2$을 더한다.	$x^2-4x+\left(\dfrac{-4}{2}\right)^2=-1+\left(\dfrac{-4}{2}\right)^2$ $x^2-4x+4=-1+4$	❸ 2
④ 좌변을 ❹ ☐ 으로 고친다.	$(x-2)^2=3$	❹ 완전제곱식
⑤ ❺ ☐ 을 이용하여 해를 구한다.	$x-2=\pm\sqrt{3}$ $\therefore x=❻\ ☐$	❺ 제곱근 ❻ $2\pm\sqrt{3}$

핵심 2 이차방정식의 근의 공식

이차방정식 $ax^2+bx+c=0\,(a\neq0)$의 해는 다음과 같다.

$$x=\frac{-b\pm\sqrt{b^2-4ac}}{2a}\ (\text{단, } b^2-4ac\geq0)$$

[예] 이차방정식 $x^2-3x-2=0$에서 $a=1$, $b=$ ❼ ☐ , $c=-2$이므로

$$x=\frac{-(-3)\pm\sqrt{(-3)^2-4\times1\times(-2)}}{2\times1}=\frac{3\pm\boxed{❽}}{2}$$

❼ -3

❽ $\sqrt{17}$

[참고] 이차방정식 $ax^2+bx+c=0\ (a\neq0)$에서 x의 계수가 짝수,
즉 $b=2b'$일 때, 이차방정식 $ax^2+2b'x+c=0$의 해는

$$x=\frac{-b'\pm\sqrt{b'^2-ac}}{a}\ (\text{단, } b'^2-ac\geq0) \leftarrow \text{짝수 공식}$$

짝수 공식을 이용하면 약분하는 과정을 줄일 수 있어 계산이 편리해.

1 다음은 이차방정식 $x^2+6x-3=0$을 완전제곱식을 이용하여 푸는 과정이다. ☐ 안에 알맞은 수를 써넣으시오.

$$x^2+6x-3=0에서$$
$$x^2+6x=\boxed{}$$
$$x^2+6x+9=\boxed{}+\boxed{}$$
$$(x+\boxed{})^2=12$$
$$x+\boxed{}=\pm\sqrt{12}$$
$$\therefore x=\boxed{}\pm\boxed{}\sqrt{3}$$

2 이차방정식 $2x^2+4x+1=0$을 완전제곱식을 이용하여 풀려고 한다. 다음 물음에 답하시오.

(1) 이차방정식을 $(x+p)^2=q$의 꼴로 나타내시오.
　　　　　　　　　　　　　　(단, p, q는 상수)

(2) 이차방정식을 푸시오.

3 다음은 이차방정식 $2x^2+5x-2=0$을 근의 공식을 이용하여 푸는 과정이다. ☐ 안에 알맞은 수를 써넣으시오.

$$2x^2+5x-2=0에서$$
$$a=2,\ b=\boxed{},\ c=\boxed{}\ 이므로$$
$$x=\frac{\boxed{}\pm\sqrt{\boxed{}^2-4\times2\times(\boxed{})}}{2\times2}$$
$$=\frac{\boxed{}\pm\sqrt{\boxed{}}}{4}$$

4 다음 이차방정식을 근의 공식을 이용하여 푸시오.

(1) $x^2+3x-2=0$

(2) $3x^2-7x+1=0$

5 다음에서 잘못된 부분을 찾아 바르게 고치시오.

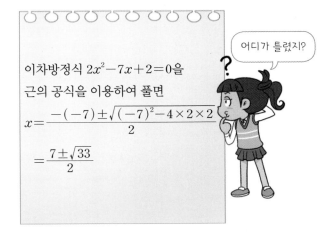

이차방정식 $2x^2-7x+2=0$을 근의 공식을 이용하여 풀면

$$x=\frac{-(-7)\pm\sqrt{(-7)^2-4\times2\times2}}{2}$$
$$=\frac{7\pm\sqrt{33}}{2}$$

어디가 틀렸지?

핵심 **3** 복잡한 이차방정식의 풀이

(1) 괄호가 있으면 괄호를 풀고 $ax^2+bx+c=0$의 꼴로 정리한다.

(2) 계수가 소수 또는 분수이면 계수를 **❶** 　　　　로 고친다.

❶ 정수

계수가 소수이면?

10의 거듭제곱을 곱해.

계수가 분수이면?

최소공배수

분모의 최소공배수를 곱해.

핵심 **4** 이차방정식의 활용

이차방정식의 활용 문제는 다음과 같은 순서로 해결한다.

① 문제의 뜻을 이해하고 구하려고 하는 것을 미지수 x로 놓는다.

② 문제의 뜻에 맞게 **❷** 　　　　　을 세운다.

❷ 이차방정식

③ 이차방정식을 푼다.

④ 구한 해가 문제의 뜻에 맞는지 확인한다.

예 차가 3인 두 자연수의 곱이 88일 때, 두 자연수를 구하시오.

① 미지수 정하기	두 자연수 중 작은 수를 x라고 하면 큰 수는 **❸** 　　　 이다.
② 방정식 세우기	두 자연수의 곱이 88이므로 $x(x+3)=88$
③ 방정식 풀기	$x^2+3x=88,\ x^2+3x-88=0$ $(x+11)(x-8)=0$　　∴ $x=-11$ 또는 $x=8$ 이때 x는 자연수이므로 $x=8$ 따라서 구하는 두 자연수는 **❹** 　　　, **❺** 　　　 이다.
④ 확인하기	$11-8=3,\ 8\times11=88$이므로 문제의 뜻에 맞는다.

❸ $x+3$

❹ 8
❺ 11

참고 (1) 수에 대한 활용 문제

① 연속하는 두 자연수(정수) : $x-1,\ x$ 또는 $x,\ x+1$

② 연속하는 세 자연수(정수) : $x-1,\ x,\ x+1$ 또는 $x,\ x+1,$ **❻** 　　　

③ 연속하는 두 홀수(짝수) : $x,$ **❼** 　　　

❻ $x+2$
❼ $x+2$

(2) 이차방정식을 활용할 수 있는 공식

① n각형의 대각선의 개수 : $\dfrac{n(n-\boxed{❽})}{2}$

❽ 3

② 자연수 1부터 n까지의 합 : $\dfrac{n(n+1)}{2}$

시험지 속 개념 문제

6 다음 이차방정식을 푸시오.

(1) $4(x^2-1)=(x-1)(3x+5)$

(2) $0.1x^2-0.4x+0.2=0$

(3) $0.3x^2-0.4x-1=0$

(4) $\dfrac{1}{5}x^2=\dfrac{1}{2}x+\dfrac{1}{2}$

(5) $\dfrac{1}{2}x^2+\dfrac{5}{6}x+\dfrac{1}{3}=0$

(6) $\dfrac{1}{2}x^2=x-0.4$

(7) $\dfrac{1}{5}x^2-0.3x-\dfrac{1}{2}=0$

7 연속하는 두 자연수의 곱이 132일 때, 두 자연수를 구하시오.

8 자연수 1부터 n까지의 합은 $\dfrac{n(n+1)}{2}$이다. 합이 55가 되려면 1부터 얼마까지의 자연수를 더해야 하는가?

① 8   ② 10   ③ 12
④ 14   ⑤ 16

9 오른쪽 그림과 같이 높이가 윗변의 길이보다 2 cm만큼 긴 사다리꼴이 있다. 아랫변의 길이가 5 cm이고 넓이가 20 cm²일 때, 윗변의 길이를 구하시오.

5 cm

대표 예제 1

이차방정식 $x^2-4x-7=0$을 $(x+A)^2=B$의 꼴로 나타낼 때, $A+B$의 값은? (단, A, B는 상수)

① -2 ② 4 ③ 7

④ 9 ⑤ 11

개념 가이드

이차방정식을 (완전제곱식)=(수)의 꼴로 나타내려면 양변을 x^2의 계수로 나누고 ① ▢ 을 우변으로 이항한 후 양변에 $\left(\dfrac{x\text{의 계수}}{②}\right)^2$을 더한다.

답 ① 상수항 ② 2

대표 예제 2

다음은 이차방정식 $x^2-7x+4=0$을 완전제곱식을 이용하여 푸는 과정이다. ①~⑤에 들어갈 수로 옳지 않은 것은?

> $x^2-7x+4=0$에서 $x^2-7x=-4$
> $x^2-7x+\boxed{①}=-4+\boxed{①}$, $(x-\boxed{②})^2=\boxed{③}$
> $x-\boxed{②}=\pm\dfrac{\boxed{④}}{2}$ $\therefore x=\dfrac{\boxed{⑤}}{2}$

① $\dfrac{49}{4}$ ② $\dfrac{7}{2}$ ③ $\dfrac{33}{4}$

④ $\sqrt{33}$ ⑤ $-7\pm\sqrt{33}$

개념 가이드

주어진 이차방정식을 $(x+p)^2=q$의 꼴로 나타낸 후 ① ▢ 의 성질을 이용하여 해를 구한다.

답 ① 제곱근

대표 예제 3

이차방정식 $2x^2-7x-2=0$의 해가 $x=\dfrac{A\pm\sqrt{B}}{4}$일 때, $A+B$의 값은? (단, A, B는 유리수)

① 33 ② 40 ③ 65

④ 70 ⑤ 72

개념 가이드

이차방정식 $ax^2+bx+c=0\,(a\neq0)$의 해는
$$x=\frac{-b\pm\sqrt{b^2-4ac}}{\boxed{①}}\ (\text{단},\ b^2-4ac\geq0)$$

답 ① $2a$

대표 예제 4

이차방정식 $3x^2+2x-3=0$을 풀면?

① $x=\dfrac{-2\pm\sqrt{10}}{3}$ ② $x=\dfrac{-1\pm\sqrt{10}}{3}$

③ $x=\dfrac{1\pm\sqrt{13}}{3}$ ④ $x=\dfrac{-2\pm\sqrt{13}}{2}$

⑤ $x=-1$ 또는 $x=3$

개념 가이드

일차항의 계수가 짝수인 이차방정식 $ax^2+2b'x+c=0\,(a\neq0)$의 해는
$$x=\frac{-b'\pm\sqrt{b'^2-ac}}{\boxed{①}}\ (\text{단},\ b'^2-ac\geq0)$$

답 ① a

대표 예제 **5**

이차방정식 $0.2x^2 + \dfrac{1}{2}x - \dfrac{3}{10} = 0$의 두 근 중 큰 근을 $x = p$라고 할 때, $5 - 2p$의 값은?

① 2 ② 3 ③ 4
④ 5 ⑤ 6

개념 가이드

이차방정식에서 계수가 소수이거나 분수인 경우에는 양변에 적당한 수를 곱하여 계수를 ① ☐ 로 고쳐서 푼다.

탑 ① 정수

대표 예제 **7**

야구 경기에서 어떤 타자가 공을 쳤을 때, t초 후의 야구공의 지면으로부터의 높이는 $(30t - 3t^2)$ m라고 한다. 야구공의 높이가 처음으로 63 m가 되는 것은 타자가 공을 친 지 몇 초 후인지 구하시오.

개념 가이드

쏘아 올린 물체의 높이가 h m인 경우는 물체가 올라갈 때와 내려올 때 두 번 생긴다. 또 물체가 지면에 떨어질 때의 높이는 ① ☐ m이다. **탑** ① 0

대표 예제 **6**

연속하는 세 자연수가 있다. 가장 큰 수의 제곱이 다른 두 수의 곱의 2배보다 116만큼 작다고 할 때, 세 자연수 중 가장 큰 수를 구하시오.

개념 가이드

연속하는 세 자연수를 $x - $ ① ☐, $x, x + $ ② ☐ 로 놓고 이차방정식을 세운다.

탑 ① 1 ② 1

대표 예제 **8**

오른쪽 그림과 같이 가로, 세로의 길이가 각각 12 m, 7 m인 직사각형 모양의 정원에 폭이 일정한 길을 만들었다. 길을 제외한 정원의 넓이가 36 m²일 때, 길의 폭을 구하시오.

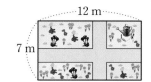

개념 가이드

다음 직사각형에서 색칠한 부분의 넓이는 ① ☐.

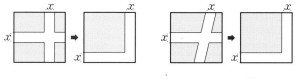

탑 ① 같다

2일 교과서 기출 베스트 2회

1 이차방정식 $x^2-3x-3=0$을 $(x+p)^2=q$의 꼴로 나타낼 때, $p+q$의 값은? (단, p, q는 상수)

① $\dfrac{15}{4}$ ② $\dfrac{13}{3}$ ③ $\dfrac{27}{4}$

④ $\dfrac{15}{2}$ ⑤ $\dfrac{27}{2}$

3 이차방정식 $3x^2-5x-1=0$의 해가 $x=\dfrac{p\pm\sqrt{q}}{6}$일 때, $p+q$의 값은? (단, p, q는 유리수)

① 37 ② 42 ③ 45

④ 59 ⑤ 63

2 다음은 이차방정식 $2x^2+3x-1=0$을 완전제곱식을 이용하여 푸는 과정이다. ①~⑤에 들어갈 수로 옳지 않은 것은?

> 양변을 2로 나누고 상수항을 우변으로 이항하면
> $$x^2+\frac{3}{2}x=\boxed{①}$$
> 좌변을 완전제곱식으로 고치고 우변을 정리하면
> $$\left(x+\frac{3}{4}\right)^2=\boxed{②}$$
> 제곱근을 이용하여 해를 구하면
> $$x+\boxed{③}=\boxed{④} \qquad \therefore x=\boxed{⑤}$$

① $\dfrac{1}{2}$ ② $\dfrac{1}{16}$ ③ $\dfrac{3}{4}$

④ $\pm\dfrac{\sqrt{17}}{4}$ ⑤ $\dfrac{-3\pm\sqrt{17}}{4}$

4 이차방정식 $3x^2-4x-1=0$을 풀면?

① $x=2\pm2\sqrt{7}$ ② $x=2\pm\sqrt{7}$

③ $x=\dfrac{4\pm4\sqrt{7}}{3}$ ④ $x=\dfrac{2\pm4\sqrt{7}}{3}$

⑤ $x=\dfrac{2\pm\sqrt{7}}{3}$

5 이차방정식 $0.2x^2 + 0.1x = \dfrac{3}{2}$ 을 풀면?

① $x = \dfrac{5}{2}$ 또는 $x = 3$ ② $x = \dfrac{5}{2}$ 또는 $x = -3$

③ $x = \dfrac{5}{4}$ 또는 $x = -3$ ④ $x = -\dfrac{5}{2}$ 또는 $x = 3$

⑤ $x = -\dfrac{5}{2}$ 또는 $x = -3$

6 연속하는 두 홀수의 제곱의 합이 394일 때, 두 홀수의 합은?

① 20   ② 24   ③ 28
④ 32   ⑤ 36

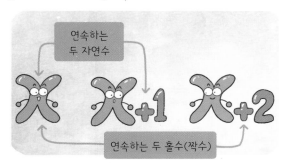

연속하는
두 자연수

X $X+1$ $X+2$

연속하는 두 홀수(짝수)

7 지면으로부터 30 m 높이의 건물 옥상에서 수직으로 쏘아 올린 물 로켓의 x초 후의 지면으로부터의 높이는 $(-5x^2 + 5x + 30)$ m라고 한다. 이때 쏘아 올린 물 로켓이 지면에 떨어지는 데 걸리는 시간은?

① 1초   ② 2초   ③ 3초
④ 4초   ⑤ 5초

8 오른쪽 그림과 같이 가로, 세로의 길이가 각각 18 m, 10 m인 직사각형 모양의 잔디밭에 폭이 x m로

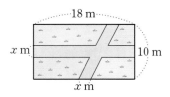

일정한 길을 만들었다. 길을 제외한 잔디밭의 넓이가 128 m²일 때, x의 값을 구하시오.

이차함수의 뜻과 그래프(1)

공부할 내용
❶ 이차함수의 뜻
❷ 이차함수 $y=x^2$, $y=-x^2$의 그래프
❸ 이차함수의 그래프의 축과 꼭짓점
❹ 이차함수 $y=ax^2$의 그래프

이것만은 꼭꼭!

1. 함수 $y=f(x)$에서 y가 x에 대한 이차식, 즉 $y=ax^2+bx+c$ (단, a, b, c는 상수, a ❶ ⬚ 0)로 나타내어질 때, 이 함수를 이차함수라고 한다.

2. 이차함수 $y=ax^2$의 그래프
   (1) ❷ ⬚ 을 꼭짓점으로 하고, y축을 축으로 하는 포물선이다.
   (2) $a>0$이면 아래로 볼록하고, $a<0$이면 ❸ ⬚ 로 볼록하다.
   (3) a의 절댓값이 클수록 그래프의 폭이 ❹ ⬚ 지고, a의 절댓값이 작을수록 그래프의 폭이 넓어진다.

답 ❶ ≠ ❷ 원점 ❸ 위 ❹ 좁아

핵심 1 이차함수의 뜻

(1) **이차함수** : 함수 $y=f(x)$에서 y가 x에 대한 이차식, 즉

$$y=ax^2+bx+c \ (단, a, b, c는 상수, a \neq \boxed{❶})$$

로 나타내어질 때, 이 함수를 x에 대한 이차함수라고 한다.

[참고] $y=ax^2+bx+c$를 $f(x)=ax^2+bx+c$로 나타내기도 한다.

[예] $y=x^2-x+1$, $f(x)=-2x^2+x$ ➡ 이차함수

$y=x-1$, $y=\dfrac{3}{x^2}$ ➡ 이차함수가 아니다.

❶ 0

(2) **이차함수의 함숫값** : 이차함수 $y=f(x)$에서 x의 값이 정해지면 그에 따라 정해지는 $\boxed{❷}$ 의 값을 함숫값이라고 한다.

[예] 함수 $f(x)=x^2+3x+1$에 대하여

$$f(-2)=(-2)^2+3\times(-2)+1=-1$$

❷ y

핵심 2 이차함수 $y=x^2$, $y=-x^2$의 그래프

(1) **이차함수 $y=x^2$의 그래프**

① 원점을 지나고 $\boxed{❸}$ 로 볼록한 곡선이다.

② $\boxed{❹}$ 축에 대칭이다.

③ $x<0$일 때, x의 값이 증가하면 y의 값은 $\boxed{❺}$ 하고

$x>0$일 때, x의 값이 증가하면 y의 값도 $\boxed{❻}$ 한다.

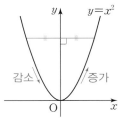

❸ 아래

❹ y

❺ 감소

❻ 증가

(2) **이차함수 $y=-x^2$의 그래프**

① 원점을 지나고 $\boxed{❼}$ 로 볼록한 곡선이다.

② y축에 대칭이다.

③ $x<0$일 때, x의 값이 증가하면 y의 값도 증가하고

$x>0$일 때, x의 값이 증가하면 y의 값은 감소한다.

④ $y=x^2$의 그래프와 $\boxed{❽}$ 축에 대칭이다.

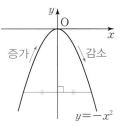

❼ 위

❽ x

두 이차함수 $y=x^2$과 $y=-x^2$의 그래프를 한 좌표평면 위에 그리면 x축에 대칭임을 한눈에 알 수 있어!

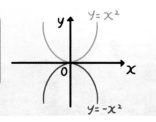

시험지 속 개념 문제

1 다음 보기 중 이차함수인 것을 모두 고르시오.

$\bigcirc$ $y=(x-1)^2$ $\bigcirc$ $y=2x$

$\bigcirc$ $y=-3x^2+1$ $\bigcirc$ $y=\dfrac{1}{x^2}$

$\bigcirc$ $y=-x^3+2$ $\bigcirc$ $y=(x+1)^2-x^2$

먼저 식을 정리한 후 이차함수인지 확인해 봐.

2 다음에서 y를 x에 대한 식으로 나타내고, y가 x에 대한 이차함수이면 ○표, 이차함수가 아니면 ×표를 ( ) 안에 써넣으시오.

(1) 반지름의 길이가 $x\,\text{cm}$인 원의 넓이 $y\,\text{cm}^2$

➡ _____ ( )

(2) 한 변의 길이가 $(x+1)\,\text{cm}$인 정사각형의 둘레의 길이 $y\,\text{cm}$

➡ _____ ( )

(3) 시속 $60\,\text{km}$로 달리는 자동차가 x시간 동안 이동한 거리 $y\,\text{km}$

➡ _____ ( )

3 이차함수 $f(x)=2x^2+5x-2$에 대하여 다음 함숫값을 구하시오.

(1) $f(2)$ (2) $f(0)$

(3) $f(-2)$ (4) $f\left(\dfrac{3}{2}\right)$

4 다음 이차함수의 그래프를 좌표평면 위에 그리시오.

(1) $y=x^2$ (2) $y=-x^2$

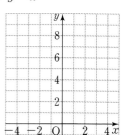

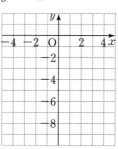

5 다음 중 이차함수 $y=x^2$의 그래프에 대한 설명으로 옳지 않은 것은?

① 원점을 지난다.

② y축에 대칭이다.

③ 아래로 볼록한 곡선이다.

④ $x>0$일 때, x의 값이 증가하면 y의 값은 감소한다.

⑤ 원점을 제외한 모든 부분이 x축보다 위쪽에 있다.

6 다음 중 이차함수 $y=-x^2$의 그래프에 대한 설명으로 옳은 것은?

① 아래로 볼록한 곡선이다.

② x축에 대칭이다.

③ x의 값이 증가하면 y의 값도 증가한다.

④ 제3, 4사분면을 지난다.

⑤ $y=x^2$의 그래프와 y축에 대칭이다.

교과서 핵심 정리

핵심 3 이차함수의 그래프의 축과 꼭짓점

(1) **포물선** : 이차함수 $y=x^2$, $y=-x^2$의 그래프와 같은 모양의 곡선

(2) **축** : 포물선의 대칭축

(3) **꼭짓점** : 포물선과 [①]의 교점

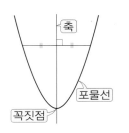

❶ 축

핵심 4 이차함수 $y=ax^2$의 그래프

(1) [②] 을 꼭짓점으로 하고, y축을 축으로 하는 포물선이다.

  ① 꼭짓점의 좌표 : $(0, 0)$

  ② 축의 방정식 : [③] $=0$ (y축)

(2) $a>0$이면 [④] 로 볼록하고, $a<0$이면 [⑤] 로 볼록하다.

(3) a의 절댓값이 [⑥] 수록 그래프의 폭이 좁아지고, a의 절댓값이 [⑦] 수록 그래프의 폭이 넓어진다.

  [참고] 그래프의 폭이 좁아진다. → 그래프가 y축과 가까워진다.

  그래프의 폭이 넓어진다. → 그래프가 x축과 가까워진다.

(4) 이차함수 $y=-ax^2$의 그래프와 [⑧] 축에 대칭이다.

[참고] 이차함수 $y=ax^2$의 그래프에서 a의 값의 의미

  ① 그래프의 모양 결정

  ② 그래프의 폭 결정

❷ 원점

❸ x

❹ 아래

❺ 위

❻ 클

❼ 작을

❽ x

내가 +이면
아래로 볼록

내가 -이면
위로 볼록

$a>0$

$a<0$

나의 절댓값이
클수록 폭이 좁아.

나의 절댓값이
작을수록 폭이 넓어.

시험지 속 개념 문제

정답과 풀이 **81쪽**

7 다음 이차함수의 그래프를 좌표평면 위에 그리시오.

(1) $y=2x^2$ (2) $y=-2x^2$

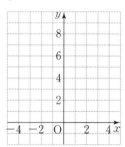 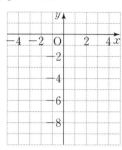

8 다음 이차함수 중 그래프의 폭이 가장 좁은 것은?

① $y=-5x^2$ ② $y=-x^2$ ③ $y=2x^2$

④ $y=\frac{1}{5}x^2$ ⑤ $y=\frac{3}{2}x^2$

9 다음 보기의 이차함수 중 그래프가 x축에 대칭인 것끼리 짝 지으시오.

┤ 보기 ├

㉠ $y=-3x^2$ ㉡ $y=\frac{4}{3}x^2$ ㉢ $y=3x^2$

㉣ $y=-\frac{4}{3}x^2$ ㉤ $y=4x^2$ ㉥ $y=-2x^2$

10 다음 중 보기에 주어진 이차함수의 그래프에 대하여 **잘못** 설명한 학생을 찾으시오.

┤ 보기 ├

㉠ $y=\frac{1}{2}x^2$ ㉡ $y=3x^2$ ㉢ $y=4x^2$

㉣ $y=-4x^2$ ㉤ $y=-\frac{5}{4}x^2$ ㉥ $y=-\frac{1}{3}x^2$

대표 예제 **1**

다음 중 이차함수가 <u>아닌</u> 것은?

① $y=(x+1)(x-1)$ ② $y=\dfrac{1}{3}x^2+2$

③ $y=x^2-5x$ ④ $y=-x(x^2-1)$

⑤ $y=4(x-1)^2-3$

개념 가이드

함수 $y=f(x)$에서 y가 x에 대한 이차식, 즉 $y=ax^2+bx+c$ (a, b, c는 상수, $a\neq0$)로 나타내어질 때, 이 함수를 x에 대한 ① [　　　　]라고 한다.

답 ① 이차함수

대표 예제 **2**

다음 보기 중 y를 x에 대한 식으로 나타낼 때, y가 x에 대한 이차함수인 것을 모두 고르시오.

┌ 보기 ┐

ㄱ 1개에 300원 하는 지우개 x개의 가격 y원

ㄴ 밑변의 길이가 x cm, 높이가 $(16-x)$ cm인 삼각형의 넓이 y cm²

ㄷ 한 변의 길이가 $(x+2)$ cm인 정사각형의 넓이 y cm²

ㄹ 한 모서리의 길이가 x cm인 정육면체의 부피 y cm³

개념 가이드

y를 x에 대한 식으로 나타내었을 때,
$y=(x$에 대한 ① [　　　　])인 것을 찾는다.   **답** ① 이차식

대표 예제 **3**

이차함수 $f(x)=x^2-3x+2$에 대하여 $f(3)-f(-3)$의 값을 구하시오.

개념 가이드

함수 $y=f(x)$에서 $x=a$일 때의 함숫값은 $f(x)$에 x 대신 ① [　　　] 를 대입하여 구한다.

답 ① a

대표 예제 **4**

이차함수 $y=ax^2$의 그래프가 두 점 $(3, -9)$, $(-2, b)$를 지날 때, $a-b$의 값은? (단, a는 상수)

① -5 ② -2 ③ 3

④ 4 ⑤ 5

개념 가이드

이차함수 $y=ax^2$의 그래프가 점 (p, q)를 지난다.
→ $y=ax^2$에 $x=$ ① [　　], $y=$ ② [　　]를 대입하면 등식이 성립한다.

답 ① p ② q

대표 예제 **5**

다음 중 이차함수 $y=3x^2$의 그래프에 대한 설명으로 옳지 않은 것은?

① 아래로 볼록한 포물선이다.

② 꼭짓점의 좌표는 $(0, 0)$이다.

③ x축을 축으로 하는 포물선이다.

④ $x<0$일 때, x의 값이 증가하면 y의 값은 감소한다.

⑤ $y=-3x^2$의 그래프와 x축에 대칭이다.

> ### 개념 가이드
>
> 이차함수 $y=ax^2$의 그래프의 성질
> - 원점을 꼭짓점으로 하고, ① ⬜ 축을 축으로 하는 포물선이다.
> - $a>0$이면 아래로 볼록하고, $a<0$이면 위로 볼록하다.
> - $y=-ax^2$의 그래프와 ② ⬜ 축에 대칭이다.
>
> 답 ① y ② x

대표 예제 **7**

오른쪽 그림과 같이 원점을 꼭짓점으로 하고 점 $(1, 2)$를 지나는 포물선을 그래프로 하는 이차함수의 식은?

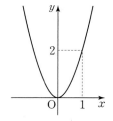

① $y=-2x^2$ ② $y=-x^2$

③ $y=\dfrac{1}{2}x^2$ ④ $y=x^2$

⑤ $y=2x^2$

> ### 개념 가이드
>
> 원점을 꼭짓점으로 하는 포물선을 그래프로 하는 이차함수의 식은 $y=$ ① ⬜ 으로 놓는다.
>
> 답 ① ax^2

대표 예제 **6**

다음 이차함수를 그래프의 폭이 넓은 것부터 차례대로 나열하시오.

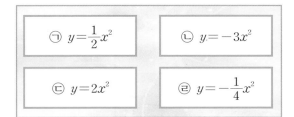

ㄱ $y=\dfrac{1}{2}x^2$ ㄴ $y=-3x^2$

ㄷ $y=2x^2$ ㄹ $y=-\dfrac{1}{4}x^2$

> ### 개념 가이드
>
> 이차함수 $y=ax^2$의 그래프에서 a의 ① ⬜ 이 작을수록 그래프의 폭이 넓어진다.
>
> 답 ① 절댓값

대표 예제 **8**

이차함수 $y=ax^2$의 그래프는 이차함수 $y=2x^2$의 그래프와 x축에 대칭이고, 점 $(-3, b)$를 지난다. 이때 $a+b$의 값은? (단, a는 상수)

① -20 ② -16 ③ -8

④ 12 ⑤ 16

> ### 개념 가이드
>
> x축에 대칭인 그래프의 식을 이용하여 ① ⬜ 의 값을 먼저 구한다.
>
> 답 ① a

1 다음 중 이차함수인 것을 모두 고르면? (정답 2개)

① $y=100-3x$

② $y=\dfrac{2}{3}x^2+2$

③ $y=\dfrac{3}{5}x-2$

④ $y=(x+2)(x-3)-x^2$

⑤ $y=3x^2-2x(x+3)$

2 다음 중 y를 x에 대한 식으로 나타낼 때, y가 x에 대한 이차함수인 것은?

① 하루에 x개씩 5일 동안 만든 그릇 y개

② 반지름의 길이가 x cm인 원의 둘레의 길이 y cm

③ x각형의 대각선의 개수 y

④ 자동차가 시속 x km로 50 km를 이동하는 데 걸린 시간 y시간

⑤ 500원짜리 연필 x자루와 600원짜리 볼펜 x자루의 총 가격 y원

3 이차함수 $f(x)=-3x^2-ax+6$에 대하여 $f(-2)=-10$, $f(1)=b$일 때, ab의 값은?

(단, a는 상수)

① -10 ② -5 ③ -2

④ 5 ⑤ 10

4 이차함수 $y=ax^2$의 그래프가 두 점 $(2, -12)$, $(-3, b)$를 지날 때, $a+b$의 값은? (단, a는 상수)

① -30 ② -24 ③ 12

④ 24 ⑤ 30

5 다음 중 이차함수 $y = -2x^2$의 그래프에 대한 설명으로 옳은 것은?

① 아래로 볼록한 포물선이다.

② 꼭짓점의 좌표는 $(-2, 0)$이다.

③ $x > 0$일 때, x의 값이 증가하면 y의 값은 감소한다.

④ $y = \frac{1}{2}x^2$의 그래프와 x축에 대칭이다.

⑤ 모든 부분이 x축보다 아래쪽에 있다.

7 오른쪽 그림과 같이 원점을 꼭 짓점으로 하고 점 $(3, -6)$을 지나는 포물선을 그래프로 하는 이차함수의 식은?

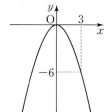

① $y = -3x^2$ ② $y = -2x^2$

③ $y = -\frac{2}{3}x^2$ ④ $y = \frac{2}{3}x^2$

⑤ $y = 2x^2$

6 다음 중 세 이차함수 $y = x^2$, $y = 2x^2$, $y = -\frac{1}{3}x^2$과 그 그래프를 바르게 짝 지은 것은?

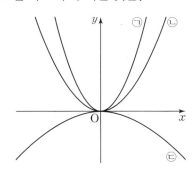

① ㉠ $y = -\frac{1}{3}x^2$, ㉡ $y = x^2$, ㉢ $y = 2x^2$

② ㉠ $y = -\frac{1}{3}x^2$, ㉡ $y = 2x^2$, ㉢ $y = x^2$

③ ㉠ $y = x^2$, ㉡ $y = 2x^2$, ㉢ $y = -\frac{1}{3}x^2$

④ ㉠ $y = 2x^2$, ㉡ $y = -\frac{1}{3}x^2$, ㉢ $y = x^2$

⑤ ㉠ $y = 2x^2$, ㉡ $y = x^2$, ㉢ $y = -\frac{1}{3}x^2$

8 이차함수 $y = ax^2$의 그래프는 이차함수 $y = -4x^2$의 그래프와 x축에 대칭이고, 점 $\left(-\frac{3}{2}, b\right)$를 지난다. 이때 $a + b$의 값은? (단, a는 상수)

① -5 ② -3 ③ 5

④ 13 ⑤ 17

x축에 대칭이면 x축으로 접었을 때 두 그래프가 완전히 포개어져.

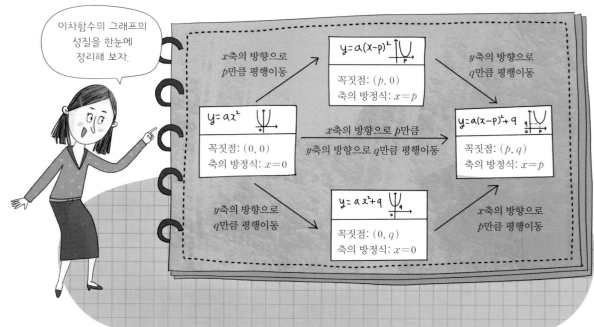

공부할 내용

❶ 이차함수 $y=ax^2+q$의 그래프
❷ 이차함수 $y=a(x-p)^2$의 그래프
❸ 이차함수 $y=a(x-p)^2+q$의 그래프
❹ 이차함수 $y=a(x-p)^2+q$의 그래프에서 a, p, q의 부호

이것만은 꼭꼭!

1. 이차함수 $y=ax^2+q$의 그래프는 이차함수 $y=ax^2$의 그래프를 ❶ ☐ 축의 방향으로 q만큼 평행이동한 것이다.

2. 이차함수 $y=a(x-p)^2$의 그래프는 이차함수 $y=ax^2$의 그래프를 x축의 방향으로 ❷ ☐ 만큼 평행이동한 것이다.

3. 이차함수 $y=a(x-p)^2+q$의 그래프는 이차함수 $y=ax^2$의 그래프를 x축의 방향으로 ❸ ☐ 만큼, y축의 방향으로 ❹ ☐ 만큼 평행이동한 것이다.

답 ❶ y ❷ p ❸ p ❹ q

핵심 1 이차함수 $y=ax^2+q$의 그래프

(1) 이차함수 $y=ax^2$의 그래프를 **❶** 축의 방향으로
❷ 만큼 평행이동한 것이다.

$$y=ax^2 \xrightarrow[q만큼 평행이동]{y축의 방향으로} y=ax^2+q$$

① $q>0$이면 y축의 양의 방향으로 평행이동
② $q<0$이면 y축의 음의 방향으로 평행이동

(2) **꼭짓점의 좌표** : (**❸**)

(3) **축의 방정식** : $x=$ **❹** (y축)

예 이차함수 $y=x^2-3$의 그래프는 이차함수 $y=x^2$의 그래프를
y축의 방향으로 -3만큼 평행이동한 것이다.
① 꼭짓점의 좌표 : $(0, -3)$
② 축의 방정식 : $x=0$ (y축)

❶ y
❷ q

❸ $0, q$
❹ 0

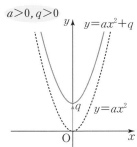
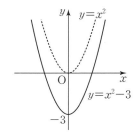

핵심 2 이차함수 $y=a(x-p)^2$의 그래프

(1) 이차함수 $y=ax^2$의 그래프를 **❺** 축의 방향으로
❻ 만큼 평행이동한 것이다.

$$y=ax^2 \xrightarrow[p만큼 평행이동]{x축의 방향으로} y=a(x-p)^2$$

① $p>0$이면 x축의 양의 방향으로 평행이동
② $p<0$이면 x축의 음의 방향으로 평행이동

(2) **꼭짓점의 좌표** : (**❼**)

(3) **축의 방정식** : $x=$ **❽**

예 이차함수 $y=(x-3)^2$의 그래프는 이차함수 $y=x^2$의 그
래프를 x축의 방향으로 3만큼 평행이동한 것이다.
① 꼭짓점의 좌표 : $(3, 0)$
② 축의 방정식 : $x=3$

❺ x
❻ p

❼ $p, 0$
❽ p

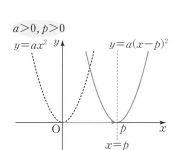

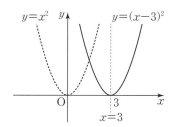

시험지 속 개념 문제

정답과 풀이 **84**쪽

1 다음 이차함수의 그래프를 y축의 방향으로 [ ] 안의 수만큼 평행이동한 그래프의 식과 꼭짓점의 좌표, 축의 방정식을 차례대로 구하시오.

(1) $y=x^2$ [1]

(2) $y=\dfrac{1}{2}x^2$ [-3]

(3) $y=-4x^2$ [2]

(4) $y=-\dfrac{3}{5}x^2$ [-1]

3 다음 이차함수의 그래프를 x축의 방향으로 [ ] 안의 수만큼 평행이동한 그래프의 식과 꼭짓점의 좌표, 축의 방정식을 차례대로 구하시오.

(1) $y=6x^2$ [3]

(2) $y=\dfrac{1}{5}x^2$ [-1]

(3) $y=-\dfrac{4}{3}x^2$ [2]

(4) $y=-2x^2$ [-3]

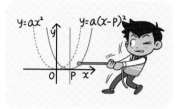

2 이차함수 $y=x^2$과 $y=-x^2$의 그래프를 이용하여 다음 이차함수의 그래프를 좌표평면 위에 그리시오.

(1) $y=x^2+2$

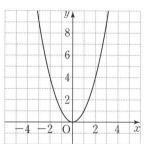

(2) $y=-x^2-2$

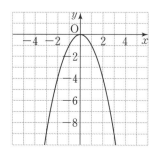

4 이차함수 $y=x^2$과 $y=-x^2$의 그래프를 이용하여 다음 이차함수의 그래프를 좌표평면 위에 그리시오.

(1) $y=(x-2)^2$

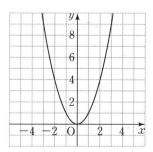

(2) $y=-(x+2)^2$

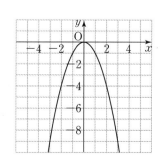

교과서 핵심 정리

핵심 3 이차함수 $y=a(x-p)^2+q$의 그래프

(1) 이차함수 $y=ax^2$의 그래프를 x축의 방향으로
   ❶[ ]만큼, y축의 방향으로 ❷[ ]만큼 평행이동
한 것이다.

$$y=ax^2 \xrightarrow[\text{y축의 방향으로 q만큼 평행이동}]{\text{x축의 방향으로 p만큼,}} y=a(x-p)^2+q$$

(2) **꼭짓점의 좌표** : (❸[ ])

(3) **축의 방정식** : $x=$ ❹[ ]

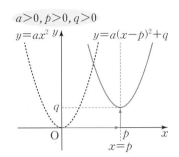

[예] 이차함수 $y=(x-3)^2+2$의 그래프는 이차함수 $y=x^2$
의 그래프를 x축의 방향으로 3만큼, y축의 방향으로 2만
큼 평행이동한 것이다.
① 꼭짓점의 좌표 : $(3, 2)$
② 축의 방정식 : $x=3$

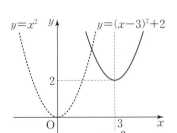

❶ p
❷ q

❸ p, q
❹ p

핵심 4 이차함수 $y=a(x-p)^2+q$의 그래프에서 a, p, q의 부호

(1) a**의 부호** : 그래프의 모양으로 결정한다.
   ① 아래로 볼록 ➡ a ❺[ ] 0
   ② 위로 볼록 ➡ a ❻[ ] 0

❺ $>$
❻ $<$

(2) p, q**의 부호** : 꼭짓점 (p, q)가 제몇 사분면 위에 있는지 확인하여 결정한다.

제1사분면	제2사분면	제3사분면	제4사분면
$p>0, q>0$	$p<0, q>0$	$p<0, q<0$	$p>0, q<0$

[예] 이차함수 $y=a(x-p)^2+q$의 그래프가 오른쪽 그림과 같을 때
① 그래프가 아래로 볼록하므로 $a>0$
② 꼭짓점 (p, q)가 제4사분면 위에 있으므로
   p ❼[ ] 0, q ❽[ ] 0

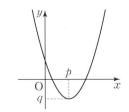

❼ $>$
❽ $<$

시험지 속 개념 문제

정답과 풀이 **84쪽**

5 다음 이차함수의 그래프를 x축의 방향으로 p만큼, y축의 방향으로 q만큼 평행이동한 그래프의 식과 꼭짓점의 좌표, 축의 방정식을 차례대로 구하시오.

(1) $y=\dfrac{7}{2}x^2$ [$p=1, q=2$]

(2) $y=5x^2$ [$p=4, q=-1$]

(3) $y=-\dfrac{4}{5}x^2$ [$p=-3, q=5$]

(4) $y=-7x^2$ [$p=-1, q=-2$]

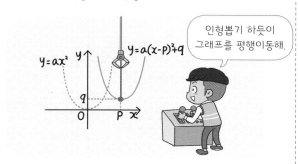

인형뽑기 하듯이 그래프를 평행이동해.

6 이차함수 $y=-3(x+1)^2+5$의 그래프는 이차함수 $y=ax^2$의 그래프를 x축의 방향으로 p만큼, y축의 방향으로 q만큼 평행이동한 것이다. 이때 $a+p+q$의 값을 구하시오.

7 다음 중 이차함수 $y=\dfrac{1}{4}(x-4)^2-1$의 그래프는?

① 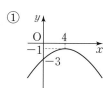   ②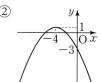

③ 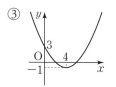   ④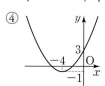

⑤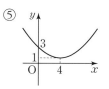

8 다음은 이차함수 $y=a(x-p)^2+q$의 그래프가 오른쪽 그림과 같을 때, a, p, q의 부호를 정하는 과정이다. ☐ 안에 알맞은 것을 써넣으시오.

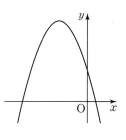

> 그래프가 위로 볼록하므로 $a \,\square\, 0$
> 꼭짓점 (p, q)가 제 ☐ 사분면 위에 있으므로
> $p \,\square\, 0$, $q \,\square\, 0$

대표 예제 **1**

다음 중 이차함수 $y=\dfrac{1}{2}x^2-1$의 그래프에 대한 설명으로 옳지 <u>않은</u> 것은?

① 아래로 볼록한 포물선이다.

② $y=\dfrac{1}{2}x^2$의 그래프를 y축의 방향으로 -1만큼 평행이동한 것이다.

③ 꼭짓점의 좌표는 $(-1,0)$이다.

④ $x>0$일 때, x의 값이 증가하면 y의 값도 증가한다.

⑤ 모든 사분면을 지난다.

⊘ 개념 가이드

이차함수 $y=ax^2+q$의 그래프는 $y=ax^2$의 그래프를 y축의 방향으로 q만큼 평행이동한 것으로 꼭짓점의 좌표는 ($\boxed{①}$), 축의 방정식은 $x=\boxed{②}$ 이다.

답 ① $0, q$ ② 0

대표 예제 **2**

이차함수 $y=ax^2$의 그래프를 y축의 방향으로 3만큼 평행이동한 그래프가 점 $(1,2)$를 지날 때, 상수 a의 값은?

① -3 ② -1 ③ 1

④ 2 ⑤ 3

⊘ 개념 가이드

이차함수 $y=ax^2$의 그래프를 y축의 방향으로 q만큼 평행이동한 그래프가 점 (m,n)을 지난다.

→ $y=\boxed{①}$ 에 $x=m, y=n$을 대입하면 등식이 성립한다.

답 ① ax^2+q

대표 예제 **3**

다음 보기 중 이차함수 $y=3(x+2)^2$의 그래프에 대한 설명으로 옳은 것을 모두 고르시오.

┌ 보기 ┐

ㄱ. 꼭짓점의 좌표는 $(-2,0)$이다.

ㄴ. 축의 방정식은 $x=2$이다.

ㄷ. $x>-2$일 때, x의 값이 증가하면 y의 값도 증가한다.

ㄹ. x축과 두 점에서 만난다.

⊘ 개념 가이드

이차함수 $y=a(x-p)^2$의 그래프는 $y=ax^2$의 그래프를 x축의 방향으로 p만큼 평행이동한 것으로 꼭짓점의 좌표는 ($\boxed{①}$), 축의 방정식은 $x=\boxed{②}$ 이다.

답 ① $p, 0$ ② p

대표 예제 **4**

이차함수 $y=\dfrac{1}{3}x^2$의 그래프를 x축의 방향으로 -4만큼 평행이동하면 점 $(-1,k)$를 지날 때, k의 값은?

① $-\dfrac{3}{2}$ ② -1 ③ $\dfrac{1}{3}$

④ $\dfrac{1}{2}$ ⑤ 3

⊘ 개념 가이드

이차함수 $y=ax^2$의 그래프를 x축의 방향으로 p만큼 평행이동한 그래프가 점 (m,n)을 지난다.

→ $y=\boxed{①}$ 에 $x=m, y=n$을 대입하면 등식이 성립한다.

답 ① $a(x-p)^2$

대표 예제 **5**

다음 중 이차함수 $y=2(x-1)^2-3$의 그래프에 대한 설명으로 옳지 <u>않은</u> 것은?

① $y=2x^2$의 그래프를 x축의 방향으로 1만큼, y축의 방향으로 -3만큼 평행이동한 것이다.

② 꼭짓점의 좌표는 $(1, -3)$이다.

③ 축의 방정식은 $x=1$이다.

④ $x<1$일 때, x의 값이 증가하면 y의 값도 증가한다.

⑤ 점 $(0, -1)$을 지난다.

개념 가이드

이차함수 $y=a(x-p)^2+q$의 그래프의 증가, 감소

• a ① ⬚ 0일 때

$x<p$ · $x>p$
감소 증가
$x=p$

• a ② ⬚ 0일 때

$x<p$ · $x>p$
증가 감소
$x=p$

답 ① > ② <

대표 예제 **6**

이차함수 $y=3x^2$의 그래프를 x축의 방향으로 p만큼, y축의 방향으로 q만큼 평행이동한 그래프를 나타내는 이차함수의 식이 $y=a(x+5)^2-4$일 때, $a+p+q$의 값은? (단, a는 상수)

① -6 ② -4 ③ -2

④ 4 ⑤ 6

개념 가이드

이차함수 $y=ax^2$의 그래프를 x축의 방향으로 p만큼, y축의 방향으로 q만큼 평행이동한 그래프의 식은 $y=$ ① ⬚ 이다.

답 ① $a(x-p)^2+q$

대표 예제 **7**

이차함수 $y=a(x-p)^2+q$의 그래프가 오른쪽 그림과 같을 때, a, p, q의 부호 중 알맞은 것을 골라 단어를 완성하시오.

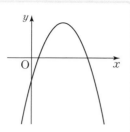

$a>0$	포		$a<0$	꼭
$p>0$	짓		$p<0$	물
$q>0$	점		$q<0$	선

개념 가이드

이차함수 $y=a(x-p)^2+q$에서
a의 부호는 그래프의 ① ⬚ 으로 결정하고,
p, q의 부호는 그래프의 ② ⬚ 의 위치로 결정한다.

답 ① 모양 ② 꼭짓점

대표 예제 **8**

이차함수 $y=-\dfrac{1}{2}(x+3)^2+2$의 그래프를 x축의 방향으로 -1만큼, y축의 방향으로 -1만큼 평행이동한 그래프를 나타내는 이차함수의 식은?

① $y=-\dfrac{1}{2}(x+2)^2+1$ ② $y=-\dfrac{1}{2}(x+2)^2+3$

③ $y=-\dfrac{1}{2}(x-4)^2+1$ ④ $y=-\dfrac{1}{2}(x+4)^2+1$

⑤ $y=-\dfrac{1}{2}(x+4)^2+3$

개념 가이드

이차함수 $y=a(x-p)^2+q$의 그래프를 x축의 방향으로 m만큼, y축의 방향으로 n만큼 평행이동한 그래프의 식은
$y=a($ ① ⬚ $)^2+$ ② ⬚ 이다.

답 ① $x-p-m$ ② $q+n$

1 다음 대화를 읽고 이차함수 $y=-x^2+4$의 그래프에 대하여 바르게 설명한 학생을 모두 찾으시오.

준수: 점 $(1, 5)$를 지나.

나영: 축의 방정식은 $x=0$이야.

태민: 꼭짓점의 좌표는 $(0, -4)$야.

진욱: 이차함수 $y=-x^2$의 그래프와 모양이 같아.

혜원: 이차함수 $y=-x^2$의 그래프를 x축의 방향으로 4만큼 평행이동한 그래프야.

2 이차함수 $y=ax^2$의 그래프를 y축의 방향으로 8만큼 평행이동하면 점 $(3, 2)$를 지날 때, 상수 a의 값은?

① $-\dfrac{5}{3}$ ② $-\dfrac{2}{3}$ ③ $\dfrac{1}{9}$

④ $\dfrac{2}{3}$ ⑤ $\dfrac{10}{9}$

3 다음 중 이차함수 $y=-4(x+5)^2$의 그래프에 대한 설명으로 옳은 것을 모두 고르면? (정답 2개)

① 꼭짓점의 좌표는 $(5, 0)$이다.

② 축의 방정식은 $x=-5$이다.

③ $y=4x^2$의 그래프와 폭이 같다.

④ $y=-4x^2$의 그래프를 x축의 방향으로 5만큼 평행이동한 것이다.

⑤ $x>-5$일 때, x의 값이 증가하면 y의 값도 증가한다.

4 이차함수 $y=a(x-p)^2$의 그래프는 꼭짓점의 좌표가 $(5, 0)$이고 점 $(3, 1)$을 지난다. 이때 $4a+p$의 값은? (단, a, p는 상수)

① -6 ② -4 ③ 2

④ 4 ⑤ 6

5 다음 중 이차함수 $y = -\dfrac{1}{2}(x+3)^2 + 5$의 그래프에 대한 설명으로 옳은 것은?

① 아래로 볼록한 포물선이다.

② 꼭짓점의 좌표는 $(3, 5)$이다.

③ 축의 방정식은 $x = -3$이다.

④ $y = -2x^2$의 그래프와 폭이 같다.

⑤ $y = -\dfrac{1}{2}x^2$의 그래프를 x축의 방향으로 -3만큼, y축의 방향으로 -5만큼 평행이동한 것이다.

6 이차함수 $y = 4(x+2)^2 + 3$의 그래프는 이차함수 $y = ax^2$의 그래프를 x축의 방향으로 p만큼, y축의 방향으로 q만큼 평행이동한 것이다. 이때 $a + p + q$의 값은?

① -3 ② -1 ③ 1

④ 5 ⑤ 9

7 이차함수 $y = a(x-p)^2 + q$의 그래프가 오른쪽 그림과 같을 때, a, p, q의 부호는?

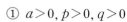

① $a > 0, p > 0, q > 0$

② $a > 0, p > 0, q < 0$

③ $a > 0, p < 0, q < 0$

④ $a < 0, p > 0, q > 0$

⑤ $a < 0, p < 0, q < 0$

8 이차함수 $y = (x+3)^2 + 2$의 그래프를 x축의 방향으로 4만큼, y축의 방향으로 -3만큼 평행이동하였더니 이차함수 $y = (x+p)^2 + q$의 그래프와 일치하였다. 이때 $p - q$의 값을 구하시오. (단, p, q는 상수)

공부할 내용
❶ 이차함수 $y=ax^2+bx+c$의 그래프
❷ 이차함수 $y=ax^2+bx+c$의 그래프에서 a, b, c의 부호
❸ 이차함수의 식 구하기

이것만은 꼭꼭!

1. 이차함수 $y=ax^2+bx+c$의 그래프는 $y=a(x-p)^2+q$의 꼴로 고쳐서 그릴 수 있다.

2. 이차함수의 식 구하기

    (1) 꼭짓점의 좌표 (p, q)와 다른 한 점의 좌표를 알 때

    → 이차함수의 식을 $y=a(x-\boxed{❶})^2+\boxed{❷}$로 놓고 한 점의 좌표를 대입하여 a의 값을 구한다.

    (2) 축의 방정식 $x=p$와 서로 다른 두 점의 좌표를 알 때

    → 이차함수의 식을 $y=a(x-\boxed{❸})^2+\boxed{❹}$로 놓고 두 점의 좌표를 각각 대입하여 a, q의 값을 구한다.

답 ❶ p ❷ q ❸ p ❹ q

교과서 핵심 정리

핵심 1 이차함수 $y=ax^2+bx+c$의 그래프

이차함수 $y=ax^2+bx+c$의 그래프는 $y=a(x-p)^2+q$의 꼴로 고쳐서 그릴 수 있다.

[예] 이차함수 $y=x^2-4x+3$의 그래프를 그려 보자.

① $y=a(x-p)^2+q$의 꼴로 고친다.	② 꼭짓점의 좌표, 축의 방정식, y축과의 교점의 좌표를 구한다.	③ ②를 이용하여 이차함수의 그래프를 그린다.
$\begin{aligned} y &= x^2-4x+3 \\ &= (x^2-4x+4-4)+3 \\ &= (x^2-4x+4)-4+3 \\ &= (x-2)^2-1 \end{aligned}$	꼭짓점의 좌표 : $(2, -1)$ 축의 방정식 : $x=$ ❶ $y=x^2-4x+3$에 $x=0$을 대입하면 $y=3$이므로 y축과의 교점의 좌표 : (❷)	

❶ 2

❷ 0, 3

핵심 2 이차함수 $y=ax^2+bx+c$의 그래프에서 a, b, c의 부호

(1) a의 부호 : 그래프의 모양으로 결정한다.
　① 아래로 볼록 → $a>0$
　② 위로 볼록 → $a<0$

(2) b의 부호 : ❸ 의 위치로 결정한다.
　① 축이 y축의 왼쪽
　　→ a, b는 ❹ 부호 ($ab>0$)
　② 축이 y축과 일치 → $b=$ ❺
　③ 축이 y축의 오른쪽
　　→ a, b는 ❻ 부호 ($ab<0$)

(3) c의 부호 : ❼ 축과의 교점의 위치로 결정한다.
　① y축과의 교점이 x축의 위쪽 → $c>0$
　② y축과의 교점이 원점 → $c=$ ❽
　③ y축과의 교점이 x축의 아래쪽 → $c<0$

❸ 축

❹ 같은

❺ 0

❻ 다른

❼ y

❽ 0

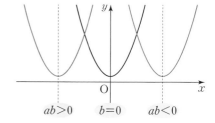

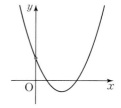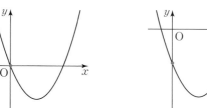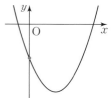

시험지 속 개념 문제

정답과 풀이 **86쪽**

1 이차함수 $y=2x^2-8x+6$의 그래프에 대하여 다음 물음에 답하시오.

(1) 다음은 이차함수 $y=2x^2-8x+6$을 $y=a(x-p)^2+q$의 꼴로 나타내는 과정이다. ☐ 안에 알맞은 수를 써넣으시오.

$$y=2x^2-8x+6$$
$$=2(x^2-4x+\boxed{}-\boxed{})+6$$
$$=2(x-\boxed{})^2-\boxed{}$$

(2) 꼭짓점의 좌표를 구하시오.

(3) y축과의 교점의 좌표를 구하시오.

(4) 이차함수 $y=2x^2-8x+6$의 그래프를 좌표평면 위에 그리시오.

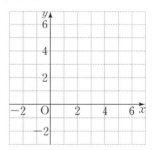

2 이차함수 $y=\dfrac{1}{3}x^2-2x+2$의 그래프에 대하여 다음 물음에 답하시오.

(1) 이차함수 $y=\dfrac{1}{3}x^2-2x+2$를 $y=a(x-p)^2+q$의 꼴로 나타내시오.

(2) 꼭짓점의 좌표와 축의 방정식을 각각 구하시오.

3 다음 중 이차함수 $y=-x^2-4x-5$의 그래프는?

① 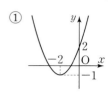 ②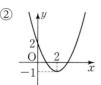

③ 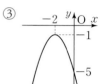 ④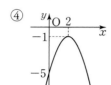

⑤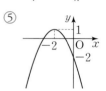

4 다음은 이차함수 $y=ax^2+bx+c$의 그래프가 오른쪽 그림과 같을 때, a, b, c의 부호를 정하는 과정이다. ☐ 안에 알맞은 것을 써넣으시오.

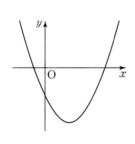

그래프가 아래로 볼록하므로 a ☐ 0
축이 y축의 오른쪽에 있으므로 a, b는 ☐ 부호이다. ∴ b ☐ 0
또 y축과의 교점이 x축의 아래쪽에 있으므로 c ☐ 0

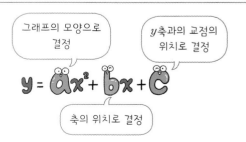

핵심 3 **이차함수의 식 구하기**

(1) 꼭짓점의 좌표 (p, q)와 다른 한 점의 좌표를 알 때

이차함수의 식을 $y=a(x-\boxed{\text{❶}})^2+\boxed{\text{❷}}$로 놓고 한 점의 좌표를 대입하여 a의 값을 구한다.

❶ p
❷ q

[예] 꼭짓점의 좌표가 $(1, 2)$이고 점 $(2, 5)$를 지나는 포물선을 그래프로 하는 이차함수의 식을 구하시오.

$y=a(x-1)^2+2$로 놓고 $x=2, y=5$를 대입하면

$5=a+2$ $\therefore a=3$

$\therefore y=3(x-1)^2+2=3x^2-6x+5$

(2) 축의 방정식 $x=p$와 서로 다른 두 점의 좌표를 알 때

이차함수의 식을 $y=a(x-\boxed{\text{❸}})^2+q$로 놓고 두 점의 좌표를 각각 대입하여 a, q의 값을 구한다.

❸ p

[예] 축의 방정식이 $x=3$이고 두 점 $(1, 5), (2, 2)$를 지나는 포물선을 그래프로 하는 이차함수의 식을 구하시오.

$y=a(x-3)^2+q$로 놓고

$x=1, y=5$를 대입하면 $5=4a+q$ ······ ㉠

$x=2, y=2$를 대입하면 $2=a+q$ ······ ㉡

㉠, ㉡을 연립하여 풀면 $a=1, q=1$

$\therefore y=(x-3)^2+1=\boxed{\text{❹}}$

❹ $x^2-6x+10$

(3) 서로 다른 세 점의 좌표를 알 때

이차함수의 식을 $y=ax^2+bx+c$로 놓고 세 점의 좌표를 각각 대입하여 a, b, c의 값을 구한다.

[예] 세 점 $(0, 1), (-2, -1), (1, 8)$을 지나는 포물선을 그래프로 하는 이차함수의 식을 구하시오.

$y=ax^2+bx+c$로 놓고

$x=0, y=1$을 대입하면 $c=\boxed{\text{❺}}$

따라서 $y=ax^2+bx+1$에

$x=-2, y=-1$을 대입하면

$-1=4a-2b+1$ ······ ㉠

$x=1, y=8$을 대입하면 $8=a+b+1$ ······ ㉡

㉠, ㉡을 연립하여 풀면 $a=\boxed{\text{❻}}, b=\boxed{\text{❼}}$

$\therefore y=\boxed{\text{❽}}$

❺ 1

❻ 2
❼ 5
❽ $2x^2+5x+1$

x좌표가 0인 점이 있으면 그 점의 좌표를 대입하여 c의 값을 먼저 구한다.

시험지 속 개념 문제

정답과 풀이 **86쪽**

5 다음과 같은 포물선을 그래프로 하는 이차함수의 식을 $y=ax^2+bx+c$의 꼴로 나타내시오.

(1) 꼭짓점의 좌표가 $(-3, 0)$이고 점 $(-1, 4)$를 지나는 포물선

(2) 꼭짓점의 좌표가 $(1, -2)$이고 점 $(-2, 7)$을 지나는 포물선

6 다음과 같은 포물선을 그래프로 하는 이차함수의 식을 $y=ax^2+bx+c$의 꼴로 나타내시오.

(1) 축의 방정식이 $x=2$이고 두 점 $(1, -1)$, $(4, 8)$을 지나는 포물선

(2) 축의 방정식이 $x=-1$이고 두 점 $(1, 2)$, $(-2, -1)$을 지나는 포물선

7 다음과 같은 포물선을 그래프로 하는 이차함수의 식을 $y=ax^2+bx+c$의 꼴로 나타내시오.

(1) 세 점 $(-1, 3)$, $(0, 0)$, $(3, 3)$을 지나는 포물선

(2) 세 점 $(0, 2)$, $(1, 4)$, $(-1, -2)$를 지나는 포물선

8 이차함수 $y=ax^2+bx+c$의 그래프가 오른쪽 그림과 같을 때, $a+b+c$의 값을 구하시오.
(단, a, b, c는 상수)

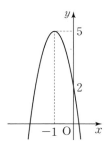

대표 예제 **1**

이차함수 $y=-x^2+4x+9$의 그래프는 이차함수 $y=-x^2$의 그래프를 x축의 방향으로 p만큼, y축의 방향으로 q만큼 평행이동한 것이다. 이때 $p+q$의 값을 구하시오.

개념 가이드

주어진 이차함수의 식을 $y=a(x-\boxed{①})^2+\boxed{②}$의 꼴로 나타낸 후 x축, y축의 방향으로 각각 얼마만큼 평행이동한 것인지 구한다.

답 ① p ② q

대표 예제 **2**

다음 중 이차함수 $y=2x^2+4x+3$의 그래프에 대한 설명으로 옳지 않은 것은?

① 축의 방정식은 $x=-1$이다.
② 꼭짓점의 좌표는 $(-1, -1)$이다.
③ y축과 만나는 점의 좌표는 $(0, 3)$이다.
④ 제1, 2사분면을 지난다.
⑤ $x>-1$일 때, x의 값이 증가하면 y의 값도 증가한다.

개념 가이드

이차함수 $y=ax^2+bx+c$를 $y=a(x-p)^2+q$의 꼴로 고치면
꼭짓점의 좌표 : ($\boxed{①}$), 축의 방정식 : $x=\boxed{②}$
y축과의 교점의 좌표 : $(0, \boxed{③})$

답 ① p, q ② p ③ c

대표 예제 **3**

다음 이차함수의 그래프 중 이차함수 $y=2x^2$의 그래프를 평행이동하여 완전히 포갤 수 있는 것은?

① $y=4x^2$　　　　　② $y=-2x^2-2$
③ $y=-(x-3)^2+7$　④ $y=2(x+1)^2-4$
⑤ $y=\dfrac{1}{2}x^2+2x-1$

개념 가이드

그래프를 평행이동하면 그래프의 폭은 변하지 않으므로 $\boxed{①}$의 계수가 같은 이차함수의 그래프는 평행이동하여 완전히 포갤 수 있다.

답 ① x^2

대표 예제 **4**

이차함수 $y=ax^2+bx+c$의 그래프가 오른쪽 그림과 같을 때, a, b, c의 부호는?

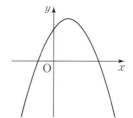

① $a>0, b>0, c>0$
② $a>0, b>0, c<0$
③ $a<0, b>0, c>0$
④ $a<0, b>0, c<0$
⑤ $a<0, b<0, c<0$

개념 가이드

이차함수 $y=ax^2+bx+c$에서 a의 부호는 그래프의 모양으로 결정하고, b의 부호는 $\boxed{①}$의 위치로, c의 부호는 $\boxed{②}$축과의 교점의 위치로 결정한다.

답 ① 축 ② y

대표 예제 5

이차함수 $y=ax^2+bx+c$의 그래프가 오른쪽 그림과 같을 때, $a+b+c$의 값을 구하시오.

(단, a, b, c는 상수)

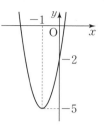

개념 가이드

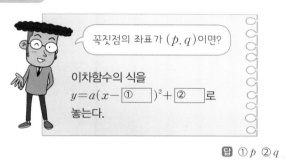

꼭짓점의 좌표가 (p, q)이면?

이차함수의 식을
$y=a(x-$①$)^2+$②$\ $로 놓는다.

답 ① p ② q

대표 예제 6

다음 세 조건을 모두 만족하는 포물선을 그래프로 하는 이차함수의 식은?

> ㈎ 축의 방정식은 $x=-1$이다.
> ㈏ 꼭짓점이 x축 위에 있다.
> ㈐ 점 $(-3, 4)$를 지난다.

① $y=-x^2-2x-1$　② $y=-x^2+2x-1$
③ $y=x^2-2x+1$　④ $y=x^2+2x+1$
⑤ $y=2x^2+4x+2$

개념 가이드

축의 방정식이 $x=p$이면 이차함수의 식을
$y=a(x-$①$)^2+q$로 놓은 후 a, q의 값을 구한다.

답 ① p

대표 예제 7

세 점 $(-2, 4)$, $(-1, 1)$, $(0, 2)$를 지나는 포물선을 그래프로 하는 이차함수의 식은?

① $y=-2x^2+3x+4$　② $y=-x^2+3x+2$
③ $y=x^2-3x+4$　④ $y=2x^2-3x+2$
⑤ $y=2x^2+3x+2$

개념 가이드

세 점의 좌표가 주어지면 이차함수의 식을 $y=$① $\ $
로 놓은 후 a, b, c의 값을 구한다.

답 ① ax^2+bx+c

대표 예제 8

오른쪽 그림과 같이 이차함수 $y=-x^2-6x+4$의 그래프의 꼭짓점을 A, y축과의 교점을 B라고 할 때, 다음 물음에 답하시오.

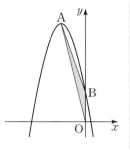

(1) 두 점 A, B의 좌표를 각각 구하시오.

(2) △AOB의 넓이를 구하시오. (단, O는 원점)

개념 가이드

점 B는 y축과의 교점이므로 이차함수의 식에 $x=$① $\ $을 대입하면 그 좌표를 구할 수 있다.

답 ① 0

1 이차함수 $y=-2x^2$의 그래프를 x축의 방향으로 p만큼, y축의 방향으로 q만큼 평행이동하면 이차함수 $y=-2x^2+8x-12$의 그래프와 일치한다. 이때 p, q의 값을 각각 구하시오.

2 다음 중 이차함수 $y=-2x^2+12x-13$의 그래프에 대한 설명으로 옳은 것은?

① 축의 방정식은 $x=-3$이다.
② 꼭짓점의 좌표는 $(-3, 5)$이다.
③ y축과 만나는 점의 좌표는 $(0, -13)$이다.
④ 제2사분면을 지난다.
⑤ $y=-2x^2$의 그래프를 x축의 방향으로 -3만큼, y축의 방향으로 5만큼 평행이동한 것이다.

3 다음 보기의 이차함수의 그래프 중 평행이동하여 완전히 포갤 수 있는 것끼리 짝 지으시오.

┌ 보기 ┐
㉠ $y=-\dfrac{1}{3}x^2$ ㉡ $y=3x^2-1$

㉢ $y=-3(x-4)^2$ ㉣ $y=\dfrac{1}{3}(x+1)^2+3$

㉤ $y=\dfrac{1}{3}x^2+x-1$ ㉥ $y=-3x^2+x-1$

4 이차함수 $y=ax^2+bx+c$의 그래프가 오른쪽 그림과 같을 때, a, b, c의 부호는?

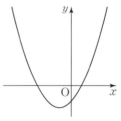

① $a>0, b>0, c>0$
② $a>0, b>0, c<0$
③ $a<0, b>0, c>0$
④ $a<0, b>0, c<0$
⑤ $a<0, b<0, c<0$

5 꼭짓점의 좌표가 $(1, 3)$이고 점 $(0, 5)$를 지나는 포물선을 그래프로 하는 이차함수의 식은?

① $y=-2x^2+5$ ② $y=x^2-2x+5$

③ $y=x^2+x+5$ ④ $y=2x^2-4x+5$

⑤ $y=2x^2+5x+5$

7 이차함수 $y=ax^2+bx+c$의 그래프가 오른쪽 그림과 같을 때, $2a+b+c$의 값을 구하시오. (단, a, b, c는 상수)

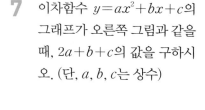
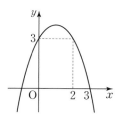
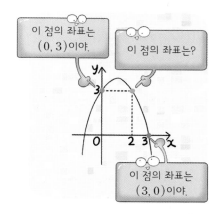

6 오른쪽 그림과 같은 포물선을 그래프로 하는 이차함수의 식은?

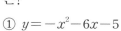

① $y=-x^2-6x-5$

② $y=-x^2-6x+4$

③ $y=-x^2+6x-9$

④ $y=-x^2+6x-6$

⑤ $y=-x^2+6x-5$

8 오른쪽 그림과 같이 이차함수 $y=\dfrac{1}{3}x^2+2x-7$의 그래프의 꼭짓점을 A, y축과의 교점을 B라고 할 때, △OAB의 넓이를 구하시오. (단, O는 원점)

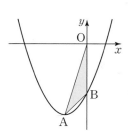

1 다음 중 이차방정식이 <u>아닌</u> 것은?

① $3x+1=x^2$

② $(x-2)^2=x^2$

③ $-5x^2+2x=-3$

④ $4x^3+2x^2+3=4x^3$

⑤ $10x(x-1)=10x-8x^2$

2 다음 중 $x=2$를 해로 갖는 이차방정식을 들고 있는 학생을 모두 고르시오.

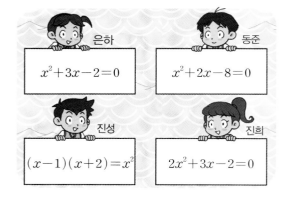

은하 $x^2+3x-2=0$

동준 $x^2+2x-8=0$

진성 $(x-1)(x+2)=x^2$

진희 $2x^2+3x-2=0$

3 이차방정식 $x^2+ax+8=0$의 한 근이 $x=-2$일 때, 상수 a의 값은?

① -6　　② -4　　③ -2

④ 4　　⑤ 6

4 이차방정식 $x^2+5x=0$을 풀면?

① $x=0$ 또는 $x=-5$　　② $x=0$ 또는 $x=2$

③ $x=0$ 또는 $x=5$　　④ $x=1$ 또는 $x=-5$

⑤ $x=1$ 또는 $x=5$

5 이차방정식 $4x^2-3=0$을 풀면?

① $x=\pm\dfrac{\sqrt{2}}{3}$　　② $x=\pm\dfrac{\sqrt{3}}{2}$

③ $x=\pm\dfrac{\sqrt{6}}{3}$　　④ $x=\pm\dfrac{\sqrt{6}}{2}$

⑤ $x=2$ 또는 $x=\sqrt{3}$

6 이차방정식 $x^2-10x+4=0$을 $(x+a)^2=b$의 꼴로 나타낼 때, $a-b$의 값은? (단, a, b는 상수)

① -26 ② -16 ③ -6
④ 16 ⑤ 26

8 이차방정식 $3x^2-3x-1=0$의 해가 $x=\dfrac{a\pm\sqrt{b}}{6}$일 때, $a+b$의 값은? (단, a, b는 유리수)

① -12 ② -5 ③ 14
④ 18 ⑤ 24

9 이차방정식 $0.1x^2+0.4x=-0.2$를 풀면?

① $x=\dfrac{-4\pm\sqrt{2}}{2}$ ② $x=\dfrac{-1\pm\sqrt{2}}{2}$
③ $x=-2\pm\sqrt{2}$ ④ $x=-1\pm\sqrt{2}$
⑤ $x=2\pm\sqrt{2}$

7 다음은 이차방정식 $x^2+10x-8=0$을 완전제곱식을 이용하여 푸는 과정이다. ①~⑤에 들어갈 수로 옳지 <u>않은</u> 것은?

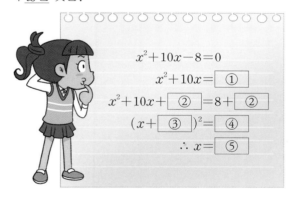

$$x^2+10x-8=0$$
$$x^2+10x=\boxed{①}$$
$$x^2+10x+\boxed{②}=8+\boxed{②}$$
$$(x+\boxed{③})^2=\boxed{④}$$
$$\therefore x=\boxed{⑤}$$

① 8 ② 25 ③ 10
④ 33 ⑤ $-5\pm\sqrt{33}$

10 야구 경기에서 어떤 타자가 친 야구공의 t초 후의 지면으로부터의 높이는 $(-4t^2+16t+1)$ m라고 한다. 이 야구공이 지면으로부터의 높이가 17 m인 지점을 지날 때는 타자가 야구공을 친 지 몇 초 후인가?

① 1초 후   ② 2초 후   ③ 3초 후
④ 4초 후   ⑤ 5초 후

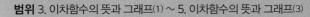
1 다음 중 이차함수를 적은 학생을 모두 고르시오.

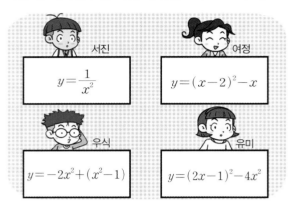

서진
$$y = \frac{1}{x^2}$$

여정
$$y = (x-2)^2 - x$$

우식
$$y = -2x^2 + (x^2 - 1)$$

유미
$$y = (2x-1)^2 - 4x^2$$

2 다음 중 보기의 이차함수의 그래프에 대한 설명으로 옳은 것은?

┌ 보기 ┐
ㄱ $y = -\dfrac{1}{2}x^2$ ㄴ $y = -\dfrac{1}{3}x^2$ ㄷ $y = \dfrac{1}{2}x^2$

ㄹ $y = -3x^2$ ㅁ $y = 2x^2$ ㅂ $y = 4x^2$

① 모두 x축을 축으로 하는 포물선이다.
② 그래프의 모양이 아래로 볼록한 것은 ㄱ, ㄴ, ㄹ이다.
③ 그래프의 폭이 가장 좁은 것은 ㄴ이다.
④ x축에 대칭인 것끼리 짝 지으면 ㄱ과 ㄷ이다.
⑤ $x > 0$일 때, x의 값이 증가하면 y의 값은 감소하는 것은 ㄷ, ㅁ, ㅂ이다.

3 다음 이차함수의 그래프 중 이차함수 $y = -\dfrac{2}{3}x^2$의 그래프를 평행이동하여 완전히 포갤 수 있는 것은?

① $y = -3x^2$
② $y = -\dfrac{2}{3}x^2 + 2$
③ $y = \dfrac{2}{3}x^2 - 2$
④ $y = 2x^2 - \dfrac{2}{3}$
⑤ $y = 3x^2 - 2$

4 이차함수 $y = 2x^2$의 그래프를 x축의 방향으로 -2만큼 평행이동한 그래프가 점 $(-3, k)$를 지날 때, k의 값은?

① -2
② 2
③ 16
④ 18
⑤ 20

5 이차함수 $y = \dfrac{2}{3}(x-3)^2 + 2$의 그래프는 이차함수 $y = \dfrac{2}{3}x^2$의 그래프를 x축의 방향으로 p만큼, y축의 방향으로 q만큼 평행이동한 것이다. 이때 $p + q$의 값은?

① -5
② -1
③ 1
④ 3
⑤ 5

6 다음 이차함수 중 그 그래프가 제3사분면을 지나지 않는 것은?

① $y = -\dfrac{1}{4}x^2$ 　　② $y = x^2 - 1$

③ $y = 3(x+1)^2$ 　　④ $y = -(x-2)^2$

⑤ $y = -(x-5)^2 + 3$

7 다음 중 이차함수와 그 그래프의 축의 방정식이 옳지 않은 것은?

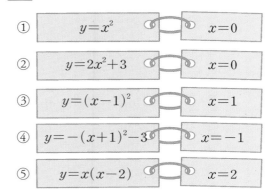

① $y = x^2$ ⟷ $x = 0$

② $y = 2x^2 + 3$ ⟷ $x = 0$

③ $y = (x-1)^2$ ⟷ $x = 1$

④ $y = -(x+1)^2 - 3$ ⟷ $x = -1$

⑤ $y = x(x-2)$ ⟷ $x = 2$

8 다음 중 보기에 주어진 이차함수의 그래프에 대한 설명으로 옳지 않은 것은?

보기

㉠ $y = 5x^2$ 　　㉡ $y = 2x^2 + 8$

㉢ $y = -5(x+2)^2$ 　　㉣ $y = 2x^2 + 4x + 4$

① 그래프의 폭은 ㉢이 ㉡보다 좁다.

② ㉠과 ㉡의 꼭짓점의 좌표는 서로 다르다.

③ ㉢과 ㉣의 축의 방정식은 서로 같다.

④ 아래로 볼록한 그래프는 ㉠, ㉡, ㉣이다.

⑤ ㉡의 그래프를 평행이동하면 ㉣의 그래프와 완전히 포갤 수 있다.

9 다음 중 이차함수 $y = -3x^2 - 6x - 4$의 그래프에 대한 설명으로 옳지 않은 것은?

① 위로 볼록한 포물선이다.

② 점 $(0, -4)$를 지난다.

③ 제3, 4사분면을 지난다.

④ $x > -1$일 때, x의 값이 증가하면 y의 값도 증가한다.

⑤ $y = -3x^2$의 그래프를 x축의 방향으로 -1만큼, y축의 방향으로 -1만큼 평행이동한 것이다.

10 다음은 세 학생이 같은 이차함수의 그래프를 그리고 그 그래프에 대하여 한 가지씩 말한 것이다. 이때 세 학생이 그린 그래프를 나타내는 이차함수의 식은?

① $y = x^2 + 2$ 　　② $y = x^2 + 4x + 4$

③ $y = x^2 + 4x + 6$ 　　④ $y = 2x^2 - 8x + 8$

⑤ $y = 3x^2 + 12x + 12$

1 이차방정식 $x^2-8x+k=0$이 중근 $x=a$를 가질 때, $a+k$의 값을 구하시오. (단, k는 상수)

풀이

답 _____

2 다음 물음에 답하시오.

(1) 이차방정식 $2x^2-3x-9=0$을 인수분해를 이용하여 푸시오.

(2) 이차방정식 $x^2-8x+13=0$을 완전제곱식을 이용하여 푸시오.

풀이

답 _____

3 다음 그림과 같이 한 변의 길이가 x cm인 정사각형 모양의 종이의 네 귀퉁이를 한 변의 길이가 3 cm인 정사각형 모양으로 잘라내어 포장 상자를 만들었을 때, 포장 상자의 부피가 180 cm³가 되었다고 한다. 물음에 답하시오. (단, 종이의 두께는 무시한다.)

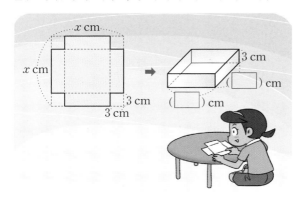

(1) 위 그림의 포장 상자에서 □ 안에 알맞은 것을 x에 대한 식으로 나타내시오.

(2) 처음 정사각형 모양의 종이의 한 변의 길이를 구하시오.

풀이

답 _____

4 이차함수 $y=3x^2-12x+1$의 그래프의 꼭짓점의 좌표와 축의 방정식을 구하려고 한다. 다음 물음에 답하시오.

(1) 이차함수 $y=3x^2-12x+1$을 $y=a(x-p)^2+q$의 꼴로 나타내시오.

(2) 이차함수 $y=3x^2-12x+1$의 그래프의 꼭짓점의 좌표와 축의 방정식을 각각 구하시오.

> 풀이

> 답 _____

5 이차함수 $y=\dfrac{1}{4}x^2+2x+k$의 그래프의 꼭짓점이 제 2사분면 위에 있을 때, 상수 k의 값의 범위를 구하시오.

꼭짓점의 좌표를 구하려면
이차함수의 식의 모양을 바꿔야 해.

$y=ax^2+bx+c$
↓
$y=a(x-p)^2+q$

> 풀이

> 답 _____

6 오른쪽 그림과 같이 이차함수 $y=-x^2+4x+2$의 그래프의 꼭짓점을 A, y축과의 교점을 B라 하고, 점 A에서 x축에 내린 수선의 발을 C라고 할 때, □ABOC의 넓이를 구하려고 한다. 다음 물음에 답하시오.
(단, O는 원점)

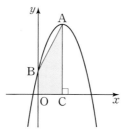

(1) 점 A의 좌표를 구하시오.

(2) 점 C의 좌표를 구하시오.

(3) 점 B의 좌표를 구하시오.

(4) □ABOC의 넓이를 구하시오.

> 풀이

> 답 _____

1 다음 그림은 동화 「백설공주」의 한 장면이다. 왕비와 거울의 대화를 읽고, 왕비의 현재 나이를 구하시오.

거울아~ 세상에서 누가 제일 예쁘니?

이 세상에서 제일 예쁘신 분은 백설공주님이세요.

뭐야? 백설공주는 이미 10년 전에 죽었어!

아니요. 아직 살아 계십니다.

왕비님보다 16살이나 어리시니 당연히 백설공주님이 더 예쁘시죠.

흥! 내 나이와 백설공주의 나이를 곱하면 512야. 내 나이를 맞혀 보시지! 이 못된 거울아!

2 연속하는 세 자연수에서 가장 큰 수의 제곱이 다른 두 수의 제곱의 합보다 4만큼 크다고 할 때, 세 자연수 중 가장 작은 수를 구하려고 한다. 다음 물음에 답하시오.

(1) 은이는 연속하는 세 자연수 중 가운데 수를 x로 놓고 풀었다. ☐ 안에 알맞은 것을 써넣으시오.

연속하는 세 자연수를 ☐☐☐, x, $x+1$이라고 하면
$$(x+1)^2 = (\boxed{})^2 + x^2 + 4$$
위의 이차방정식을 전개하여 정리하면
$$x^2 - \boxed{}x + \boxed{} = 0$$
$$(x - \boxed{})^2 = 0 \qquad \therefore x = \boxed{}$$
따라서 연속하는 세 자연수는 ☐, ☐, ☐이므로 가장 작은 수는 ☐이다.

(2) 숙이는 연속하는 세 자연수 중 가장 작은 수를 x로 놓고 풀었다. ☐ 안에 알맞은 것을 써넣으시오.

연속하는 세 자연수를 x, $x+1$, ☐☐☐라고 하면
$$(\boxed{})^2 = x^2 + (x+1)^2 + 4$$
위의 이차방정식을 전개하여 정리하면
$$x^2 - \boxed{}x + \boxed{} = 0$$
$$(x - \boxed{})^2 = 0 \qquad \therefore x = \boxed{}$$
따라서 연속하는 세 자연수는 ☐, ☐, ☐이므로 가장 작은 수는 ☐이다.

3 은별이네 가족은 주말을 맞아 캠핑장을 찾았다. 다음 그림과 같이 이차함수 $y=2x^2+4x-2$의 그래프에 대한 설명이 있는 징검다리에서 설명이 옳으면 →를, 옳지 않으면 ↓를 따라 징검다리를 건널 때, 은별이네 가족이 도착하는 텐트를 구하시오.

4 다음 그림은 포물선 모양의 놀이 기구를 점 O를 원점으로 하여 좌표평면 위에 옮겨 놓은 것이다. 점 P는 포물선의 꼭짓점일 때, 아래 물음에 답하시오.

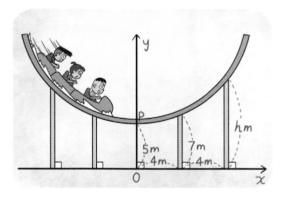

(1) 놀이 기구를 나타내는 포물선을 그래프로 하는 이차함수의 식을 구하시오.

(2) h의 값을 구하시오.

범위 1. 이차방정식의 뜻과 풀이 ~ 5. 이차함수의 뜻과 그래프(3)

기말고사 기본 테스트 1회

1 다음 중 이차방정식이 <u>아닌</u> 것은?

① $x^2=0$
② $x^2-6x=0$
③ $x^2=2x-10$
④ $x(3x-5)=3x^2+x-1$
⑤ $x^3+2x=x(x^2-2x+1)$

2 다음 보기의 이차방정식 중에서 $x=3$을 해로 갖는 것을 모두 고른 것은?

보기
ㄱ $x^2-11x+24=0$　　ㄴ $(x-1)(x+3)=0$
ㄷ $(x-5)^2=4$　　ㄹ $2x^2-8x+3=0$

① ㄱ, ㄴ　② ㄱ, ㄷ　③ ㄴ, ㄷ
④ ㄷ, ㄹ　⑤ ㄴ, ㄷ, ㄹ

3 이차방정식 $x^2-2x+k=0$의 한 근이 $x=-2$일 때, 다른 한 근은? (단, k는 상수)

① $x=-8$　② $x=-4$　③ $x=0$
④ $x=4$　⑤ $x=8$

4 이차방정식 $x(x-16)=a$가 중근을 가질 때, 상수 a의 값은?

① -64　② -49　③ 49
④ 64　⑤ 81

5 이차방정식 $25x^2-3=0$을 풀면?

① $x=\pm\frac{\sqrt{3}}{25}$　② $x=\pm\frac{\sqrt{3}}{15}$
③ $x=\pm\frac{\sqrt{3}}{5}$　④ $x=\pm\frac{\sqrt{5}}{5}$
⑤ $x=\pm\frac{\sqrt{15}}{5}$

6 이차방정식 $4x^2-8x-1=0$을 $(x+a)^2=b$의 꼴로 나타낼 때, $a+b$의 값은? (단, a, b는 상수)

① $\dfrac{1}{4}$　　　② $\dfrac{5}{4}$　　　③ $\dfrac{9}{4}$

④ $\dfrac{7}{2}$　　　⑤ $\dfrac{9}{2}$

7 이차방정식 $\dfrac{1}{4}x^2-x+\dfrac{1}{3}=0$의 해가 $x=\dfrac{a\pm2\sqrt{b}}{3}$ 일 때, ab의 값은? (단, a, b는 유리수)

① 9　　　② 12　　　③ 16

④ 24　　　⑤ 36

8 지면에서 초속 12 m로 쏘아 올린 공의 t초 후의 높이는 $(12t-3t^2)$ m라고 한다. 이때 쏘아 올린 공이 지면에 떨어질 때까지 걸리는 시간은?

① 1초　　　② 2초　　　③ 3초

④ 4초　　　⑤ 5초

지면에 떨어질 때 내 높이는?

9 두 이차함수 $f(x)=-x^2+x+5$, $g(x)=2x^2-3$에 대하여 $f(1)+g(1)$의 값은?

① 3　　　② 4　　　③ 5

④ 6　　　⑤ 7

10 이차함수 $y=x^2$의 그래프와 x축에 대칭인 그래프가 점 $(-3, k)$를 지날 때, k의 값은?

① -9　　　② -6　　　③ 0

④ 6　　　⑤ 9

11 다음 보기의 이차함수 중에서 그 그래프의 폭이 $y=-\dfrac{3}{5}x^2$의 그래프보다 좁고 $y=4x^2$의 그래프보다 넓은 것을 모두 고른 것은?

┌─ 보기 ────────────────────────┐
ㄱ. $y=-x^2$　　ㄴ. $y=-\dfrac{9}{2}x^2$　　ㄷ. $y=3x^2$

ㄹ. $y=\dfrac{1}{4}x^2$　　ㅁ. $y=5x^2$　　ㅂ. $y=\dfrac{4}{5}x^2$
└──────────────────────────────┘

① ㄱ, ㄴ, ㄹ　　　　② ㄱ, ㄷ, ㅂ

③ ㄴ, ㄹ, ㅁ　　　　④ ㄷ, ㄹ, ㅂ

⑤ ㄷ, ㅁ, ㅂ

12 다음 중 이차함수 $y=-2x^2+2$의 그래프에 대한 설명으로 옳은 것은?

① 아래로 볼록한 포물선이다.

② 축은 x축이다.

③ 꼭짓점의 좌표는 $(-2, 2)$이다.

④ 모든 사분면을 지난다.

⑤ $y=2x^2$의 그래프를 y축의 방향으로 2만큼 평행 이동한 것이다.

13 이차함수 $y=3(x-1)^2$의 그래프의 축의 방정식과 꼭짓점의 좌표를 차례대로 구하면?

① $x=-1, (-1, 0)$　　② $x=-1, (0, -1)$

③ $x=1, (-1, 0)$　　　④ $x=1, (0, 1)$

⑤ $x=1, (1, 0)$

14 이차함수 $y=\dfrac{1}{3}x^2$의 그래프를 x축의 방향으로 2만큼, y축의 방향으로 -7만큼 평행이동하면 점 $(a, 5)$를 지날 때, a의 값은? (단, $a<0$)

① -4　　　　② -5　　　　③ -6

④ -7　　　　⑤ -8

15 이차함수 $y=a(x-p)^2+q$의 그래프가 오른쪽 그림과 같을 때, a, p, q의 부호는?

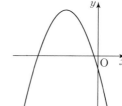

① $a>0, p>0, q>0$

② $a>0, p>0, q<0$

③ $a<0, p>0, q>0$

④ $a<0, p<0, q>0$

⑤ $a<0, p<0, q<0$

16 이차함수 $y=-3x^2+6x-1$의 그래프가 지나지 않는 사분면은?

① 제1사분면   ② 제2사분면

③ 제3사분면   ④ 제4사분면

⑤ 모든 사분면을 지난다.

17 이차함수 $y=3x^2+12x+8$의 그래프는 $y=3x^2$의 그래프를 x축의 방향으로 p만큼, y축의 방향으로 q만큼 평행이동한 것이다. 이때 $p+q$의 값은?

① -10 ② -6 ③ -2

④ 2 ⑤ 6

서술형
18 두 이차방정식 $3x^2-8x-3=0$, $3x^2+10x+3=0$의 공통인 해를 구하시오.

서술형
19 현재 아버지의 나이는 44세, 아들의 나이는 8세이다. 아버지의 나이의 3배가 아들의 나이의 제곱과 같아지는 것은 몇 년 후인지 구하시오.

몇 년후에는 내 나이의 3배가 네 나이의 제곱과 같구나.

서술형
20 이차함수 $y=2x^2$의 그래프를 x축의 방향으로 3만큼 평행이동하면 점 $(2, a)$를 지나고, 이차함수 $y=-\dfrac{1}{2}x^2$의 그래프를 y축의 방향으로 b만큼 평행이동하면 점 $(-2, 2)$를 지난다고 한다. 이때 $a+b$의 값을 구하시오.

1 이차방정식 $(x-2)(x-3)=2$를 풀면?

① $x=-4$ 또는 $x=-1$

② $x=-3$ 또는 $x=-2$

③ $x=1$ 또는 $x=-4$

④ $x=1$ 또는 $x=4$

⑤ $x=2$ 또는 $x=3$

2 이차방정식 $x^2-3x+a=0$의 한 근이 $x=4$이고, 다른 한 근은 이차방정식 $2x^2-bx-6=0$의 해일 때, $b-a$의 값은? (단, a, b는 상수)

① -8　　② -4　　③ 0

④ 4　　⑤ 8

3 다음 이차방정식 중 중근을 갖는 것은?

① $x^2-5x-14=0$

② $3x^2+6x-9=0$

③ $2x^2-8x+8=0$

④ $x^2+x-20=0$

⑤ $9x^2-4=0$

4 이차방정식 $\dfrac{1}{2}(x+7)^2=1$을 풀면?

① $x=-7\pm\dfrac{\sqrt{2}}{2}$　　② $x=-4\pm\dfrac{\sqrt{2}}{2}$

③ $x=-7\pm\sqrt{2}$　　④ $x=4\pm\sqrt{2}$

⑤ $x=7\pm\sqrt{2}$

5 이차방정식 $(x+3)(x+5)=7$을 $(x+a)^2=b$의 꼴로 나타낼 때, $b-a$의 값은? (단, a, b는 상수)

① -2　　② 2　　③ 4

④ 8　　⑤ 12

6 이차방정식 $3x^2+5x-a=0$의 해가 $x=\dfrac{-5\pm\sqrt{13}}{6}$ 일 때, 유리수 a의 값은?

① -3 ② -2 ③ -1
④ 1 ⑤ 2

7 이차방정식 $0.5x^2+\dfrac{3}{4}x+\dfrac{1}{6}=0$의 해가 $x=\dfrac{b\pm\sqrt{c}}{a}$일 때, $a-b+c$의 값은?

(단, a, b, c는 유리수)

① 51 ② 52 ③ 53
④ 54 ⑤ 55

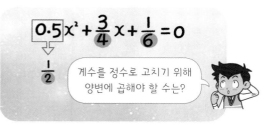

8 연속하는 두 홀수의 곱이 195일 때, 이 두 홀수의 합은?

① 24 ② 28 ③ 32
④ 36 ⑤ 40

9 오른쪽 그림과 같이 가로의 길이, 세로의 길이가 각각 30 m, 24 m인 직사각형 모양의 땅에 폭이 일정한 도로를 만들었다. 도로를 제외한 땅의 넓이가 520 m²일 때, 도로의 폭은?

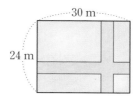

① 2 m ② 2.5 m ③ 3 m
④ 3.5 m ⑤ 4 m

10 다음 중 y를 x에 대한 식으로 나타내었을 때, y가 x에 대한 이차함수인 것을 모두 고르면? (정답 2개)

① 한 변의 길이가 x cm인 정사각형의 둘레의 길이 y cm
② 한 변의 길이가 각각 x cm, $(x+4)$ cm인 두 정사각형의 넓이의 차 y cm²
③ 반지름의 길이가 x cm, 중심각의 크기가 90°인 부채꼴의 넓이 y cm²
④ 한 모서리의 길이가 x cm인 정육면체의 겉넓이 y cm²
⑤ 밑면의 반지름의 길이가 5 cm, 높이가 x cm인 원기둥의 부피 y cm³

11 다음 중 이차함수 $y=-4x^2$에 대한 설명으로 옳지 않은 것은?

① 위로 볼록한 포물선이다.

② 꼭짓점의 좌표는 $(0, 0)$이다.

③ y축에 대칭이다.

④ $y=-2x^2$의 그래프보다 폭이 넓다.

⑤ $y=4x^2$의 그래프와 x축에 대칭이다.

12 세 이차함수 $y=ax^2$, $y=2x^2$, $y=\dfrac{1}{3}x^2$의 그래프가 아래 그림과 같을 때, 다음 중 상수 a의 값이 될 수 있는 것은?

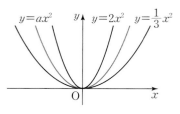

① $\dfrac{1}{6}$ ② $\dfrac{1}{4}$ ③ $\dfrac{3}{4}$

④ $\dfrac{9}{4}$ ⑤ 3

13 이차함수 $y=\dfrac{1}{4}x^2$의 그래프와 x축에 대칭인 그래프가 점 $(8, k)$를 지날 때, k의 값은?

① -24 ② -16 ③ -8

④ 8   ⑤ 16

$y=\dfrac{1}{4}x^2$의 그래프를 x축을 접는 선으로 하여 접으면?

14 다음 중 이차함수 $y=\dfrac{1}{2}(x-3)^2-2$의 그래프에 대한 설명으로 옳은 것을 모두 고르면? (정답 2개)

① 축의 방정식은 $x=-3$이다.

② 꼭짓점의 좌표는 $(-3, -2)$이다.

③ $y=-\dfrac{1}{5}x^2$의 그래프보다 폭이 좁다.

④ 제1, 2, 4사분면을 지난다.

⑤ $x<3$일 때, x의 값이 증가하면 y의 값도 증가한다.

15 이차함수 $y=-x^2$의 그래프를 x축의 방향으로 m만큼, y축의 방향으로 n만큼 평행이동하였더니 이차함수 $y=-(x-2)^2-7$의 그래프와 일치하였다. 이때 $m+n$의 값은?

① -9 ② -5 ③ 3

④ 5   ⑤ 9

16 다음 중 이차함수 $y = \frac{1}{2}x^2 - 2x + 1$의 그래프는?

①

②

③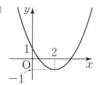

④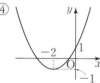

⑤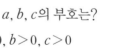

17 이차함수 $y = ax^2 + bx + c$
의 그래프가 오른쪽 그림과
같을 때, a, b, c의 부호는?

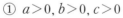

① $a > 0, b > 0, c > 0$
② $a > 0, b > 0, c < 0$
③ $a < 0, b > 0, c > 0$
④ $a < 0, b > 0, c < 0$
⑤ $a < 0, b < 0, c < 0$

18 이차방정식 $x^2 - 2(m-1)x + 9 = 0$이 중근을 가질
때, 다음 물음에 답하시오.

(1) 양수 m의 값을 구하시오.

(2) (1)의 결과를 이용하여 중근을 구하시오.

19 이차함수 $y = \frac{1}{2}x^2$의 그래프를 x축의 방향으로 2만
큼, y축의 방향으로 1만큼 평행이동하면 점 $(3, a)$를
지날 때, a의 값을 구하시오.

20 이차함수 $y = ax^2 + bx + c$의
그래프가 오른쪽 그림과 같을
때, $a + 2b - c$의 값을 구하시
오. (단, a, b, c는 상수)

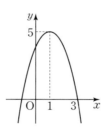

기말 대비

정답과 풀이

1일 이차방정식의 뜻과 풀이

시험지 속 개념 문제 | 9쪽, 11쪽

1 (1) × (2) ○ (3) ○ (4) ×

2 ㉡, ㉣

3 (1) × (2) ○ (3) ○ (4) ×

4 (1) $x=-5$ 또는 $x=-7$ (2) $x=-\dfrac{3}{2}$ 또는 $x=\dfrac{5}{3}$

5 (1) $x=-8$ 또는 $x=2$ (2) $x=-\dfrac{5}{2}$ 또는 $x=1$

6 ㉠, ㉢

7 (1) $x=5$ (2) $x=\dfrac{3}{2}$

8 ㉡, ㉣

9 (1) 36 (2) ±16

10 (1) $x=\pm\sqrt{7}$ (2) $x=\pm3$ (3) $x=-2$ 또는 $x=6$

    (4) $x=-3\pm\sqrt{6}$ (5) $x=2\pm\dfrac{\sqrt{14}}{2}$

11 -1

1 (1) 이차식이다.

(2) 이차방정식이다.

(3) $x^2+2x-3=0$이므로 이차방정식이다.

(4) $4x^2-4x+1=4x^2-7$에서 $-4x+8=0$이므로 일차
방정식이다.

2 $x=2$를 각각 대입해 보면

㉠ $-2^2+2\times2+2\neq0$

㉡ $2^2+2\times2-8=0$

㉢ $2^2+3\times2-2\neq0$

㉣ $2^2-4=0$

따라서 $x=2$를 해로 갖는 것은 ㉡, ㉣이다.

3 (1) $x=2$를 대입하면

$2^2-4\times2-12\neq0$

(2) $x=1$을 대입하면

$2\times1^2-3\times1+1=0$

(3) $x=-1$을 대입하면

$3\times(-1)^2+4\times(-1)+1=0$

(4) $x=-2$를 대입하면

$2\times(-2)^2\neq3\times(-2+2)$

4 (1) $(x+5)(x+7)=0$에서

$x+5=0$ 또는 $x+7=0$

$\therefore x=-5$ 또는 $x=-7$

(2) $(2x+3)(3x-5)=0$에서

$2x+3=0$ 또는 $3x-5=0$

$\therefore x=-\dfrac{3}{2}$ 또는 $x=\dfrac{5}{3}$

5 (1) $x^2+6x-16=0$에서 $(x+8)(x-2)=0$

$\therefore x=-8$ 또는 $x=2$

(2) $2x^2+3x-5=0$에서 $(2x+5)(x-1)=0$

$\therefore x=-\dfrac{5}{2}$ 또는 $x=1$

6 $x^2+4x=0$에서 $x(x+4)=0$

$\therefore x=0$ 또는 $x=-4$

7 (1) $x^2-10x+25=0$에서 $(x-5)^2=0$

$\therefore x=5$

(2) $4x^2-12x+9=0$에서 $(2x-3)^2=0$

$\therefore x=\dfrac{3}{2}$

8 ㉠ $x^2-36=0$에서 $x^2=36$

$\therefore x=\pm6$

ⓛ $9x^2-6x+1=0$에서 $(3x-1)^2=0$

    $\therefore x=\dfrac{1}{3}$

ⓒ $(x-1)^2=25$에서 $x-1=\pm 5$

    $\therefore x=-4$ 또는 $x=6$

ⓔ $x(x-4)=-4$에서 $x^2-4x+4=0$

    $(x-2)^2=0$ $\therefore x=2$

따라서 중근을 갖는 것은 ⓛ, ⓔ이다.

9 (1) $k=\left(\dfrac{-12}{2}\right)^2=36$

  (2) $64=\left(\dfrac{k}{2}\right)^2$에서 $k^2=256$ $\therefore k=\pm 16$

10 (1) $3x^2=21$에서 $x^2=7$

    $\therefore x=\pm\sqrt{7}$

  (2) $4x^2-36=0$에서 $4x^2=36$

    $x^2=9$ $\therefore x=\pm 3$

  (3) $(x-2)^2=16$에서 $x-2=\pm 4$

    $\therefore x=-2$ 또는 $x=6$

  (4) $2(x+3)^2=12$에서 $(x+3)^2=6$

    $x+3=\pm\sqrt{6}$ $\therefore x=-3\pm\sqrt{6}$

  (5) $2(x-2)^2-7=0$에서 $(x-2)^2=\dfrac{7}{2}$

    $x-2=\pm\dfrac{\sqrt{14}}{2}$ $\therefore x=2\pm\dfrac{\sqrt{14}}{2}$

11 $(x+3)^2=a$에서 $x+3=\pm\sqrt{a}$

    $\therefore x=-3\pm\sqrt{a}$

따라서 $a=2,\ b=-3$이므로

$a+b=2+(-3)=-1$

교과서 기출 베스트 ①회   │12쪽~13쪽│

1 ④	2 ③	3 ①	4 ③
5 $x=-4$	6 ③	7 ③	8 ②

1 ① 이차식이다.

  ② $-2x^3+5x-1=0$이므로 이차방정식이 아니다.

  ③ $6x+y+1=0$이므로 미지수가 2개인 일차방정식이다.

  ④ $x^2+1=0$이므로 이차방정식이다.

  ⑤ $8x^3-10x^2-2x+3=0$이므로 이차방정식이 아니다.

따라서 이차방정식인 것은 ④이다.

2 $x=-1$을 각각 대입해 보면

  ① $(-1)^2-3\times(-1)+4\neq 0$

  ② $(-1-1)\times\{2\times(-1)+3\}\neq 0$

  ③ $2\times(-1)^2+5\times(-1)+3=0$

  ④ $(-1)^2-2\times(-1)+1\neq 0$

  ⑤ $3\times(-1)^2+2\times(-1)+1\neq 0$

따라서 $x=-1$을 해로 갖는 것은 ③이다.

3 $x=-2$를 $2x^2+5x+a=0$에 대입하면

$2\times(-2)^2+5\times(-2)+a=0$

$8-10+a=0$ $\therefore a=2$

4 $(x+3)(2x+1)=-2$에서 $2x^2+7x+3=-2$

$2x^2+7x+5=0,\ (2x+5)(x+1)=0$

    $\therefore x=-\dfrac{5}{2}$ 또는 $x=-1$

5 $x^2+5x+4=0$에서 $(x+4)(x+1)=0$

    $\therefore x=-4$ 또는 $x=-1$

$x^2-16=0$에서 $x^2=16$

    $\therefore x=\pm 4$

따라서 두 이차방정식의 공통인 해는 $x=-4$이다.

6 $x=2$를 $x^2-10x+a=0$에 대입하면

$2^2-10\times 2+a=0$

$4-20+a=0$ $\therefore a=16$

즉 주어진 이차방정식은 $x^2-10x+16=0$이므로

$(x-2)(x-8)=0$ ∴ $x=2$ 또는 $x=8$

따라서 다른 한 근은 $x=8$이므로 $b=8$

∴ $a+b=16+8=24$

7 $2x^2-8x+k=0$에서 $x^2-4x+\dfrac{k}{2}=0$

이 이차방정식이 중근을 가지므로

$\dfrac{k}{2}=\left(\dfrac{-4}{2}\right)^2=4$ ∴ $k=8$

8 $4\left(x-\dfrac{1}{2}\right)^2-9=0$에서 $\left(x-\dfrac{1}{2}\right)^2=\dfrac{9}{4}$

$x-\dfrac{1}{2}=\pm\dfrac{3}{2}$ ∴ $x=-1$ 또는 $x=2$

교과서 기출 베스트 2회 | 14쪽~15쪽

1 ②, ④	2 ②	3 ①	4 ④
5 ①	6 ①	7 ⑤	8 ④

1 ① $x-1=0$이므로 일차방정식이다.

② 이차방정식이다.

③ $2x^2+5x=2x^2-2$, 즉 $5x+2=0$이므로 일차방정식이다.

④ $x^2-3x-4=-3x$, 즉 $x^2-4=0$이므로 이차방정식이다.

⑤ 이차방정식이 아니다.

따라서 이차방정식인 것은 ②, ④이다.

2 ① $x=6$을 대입하면

$6^2-6\neq0$

② $x=-2$를 대입하면

$(-2)^2+2\times(-2)=0$

③ $x=1$을 대입하면

$2\times1^2-1-3\neq0$

④ $x=6$을 대입하면

$6^2+8\times6+12\neq0$

⑤ $x=-5$를 대입하면

$(-5)^2-2\times(-5)-5\neq0$

따라서 [ ] 안의 수가 주어진 이차방정식의 해인 것은 ②이다.

3 $x=3$을 $2x^2+ax-6=0$에 대입하면

$2\times3^2+a\times3-6=0$

$18+3a-6=0$, $3a=-12$ ∴ $a=-4$

4 $x^2-8x+15=2(x-3)$에서 $x^2-8x+15=2x-6$

$x^2-10x+21=0$, $(x-3)(x-7)=0$

∴ $x=3$ 또는 $x=7$

5 $x^2-6x-16=0$에서 $(x+2)(x-8)=0$

∴ $x=-2$ 또는 $x=8$

$3x^2+4x-4=0$에서 $(3x-2)(x+2)=0$

∴ $x=\dfrac{2}{3}$ 또는 $x=-2$

따라서 두 이차방정식의 공통인 해는 $x=-2$이다.

6 $x=-1$을 $x^2+kx+5=0$에 대입하면

$(-1)^2+k\times(-1)+5=0$

$1-k+5=0$ ∴ $k=6$

즉 주어진 이차방정식은 $x^2+6x+5=0$이므로

$(x+5)(x+1)=0$ ∴ $x=-5$ 또는 $x=-1$

따라서 다른 한 근은 $x=-5$이다.

7 $25=\left(\dfrac{-a}{2}\right)^2$에서 $a^2=100$ ∴ $a=\pm10$

그런데 a는 양수이므로 $a=10$

8 $(2x-1)^2-7=0$에서 $(2x-1)^2=7$

$2x-1=\pm\sqrt{7}$, $2x=1\pm\sqrt{7}$ $\quad\therefore x=\dfrac{1\pm\sqrt{7}}{2}$

따라서 $a=1$, $b=7$이므로

$ab=1\times7=7$

2일 이차방정식의 근의 공식과 활용

시험지 속 개념 문제 | 19쪽, 21쪽

---

1 $3, 3, 9, 3, 3, -3, 2$

2 (1) $(x+1)^2=\dfrac{1}{2}$ (2) $x=-1\pm\dfrac{\sqrt{2}}{2}$

3 $5, -2, -5, 5, -2, -5, 41$

4 (1) $x=\dfrac{-3\pm\sqrt{17}}{2}$ (2) $x=\dfrac{7\pm\sqrt{37}}{6}$

5 풀이 참조

6 (1) $x=1$ (2) $x=2\pm\sqrt{2}$ (3) $x=\dfrac{2\pm\sqrt{34}}{3}$

    (4) $x=\dfrac{5\pm\sqrt{65}}{4}$ (5) $x=-\dfrac{2}{3}$ 또는 $x=-1$

    (6) $x=\dfrac{5\pm\sqrt{5}}{5}$ (7) $x=\dfrac{5}{2}$ 또는 $x=-1$

7 $11, 12$

8 ②

9 $3\ \mathrm{cm}$

---

2 (1) $2x^2+4x+1=0$에서 $x^2+2x+\dfrac{1}{2}=0$

$\quad x^2+2x=-\dfrac{1}{2}$, $x^2+2x+1=-\dfrac{1}{2}+1$

$\quad \therefore (x+1)^2=\dfrac{1}{2}$

(2) $(x+1)^2=\dfrac{1}{2}$에서 $x+1=\pm\dfrac{\sqrt{2}}{2}$

$\quad \therefore x=-1\pm\dfrac{\sqrt{2}}{2}$

4 (1) $x=\dfrac{-3\pm\sqrt{3^2-4\times1\times(-2)}}{2\times1}$

$\quad =\dfrac{-3\pm\sqrt{17}}{2}$

(2) $x=\dfrac{-(-7)\pm\sqrt{(-7)^2-4\times3\times1}}{2\times3}$

$\quad =\dfrac{7\pm\sqrt{37}}{6}$

5 $x = \dfrac{-(-7) \pm \sqrt{(-7)^2 - 4 \times 2 \times 2}}{2 \times 2}$

$\quad = \dfrac{7 \pm \sqrt{33}}{4}$

6 (1) $4(x^2 - 1) = (x-1)(3x+5)$에서

$\quad 4x^2 - 4 = 3x^2 + 2x - 5$

$\quad x^2 - 2x + 1 = 0, \ (x-1)^2 = 0$

$\quad \therefore x = 1$

(2) $0.1x^2 - 0.4x + 0.2 = 0$의 양변에 10을 곱하면

$\quad x^2 - 4x + 2 = 0$

$\quad \therefore x = \dfrac{-(-2) \pm \sqrt{(-2)^2 - 1 \times 2}}{1}$

$\quad\quad = 2 \pm \sqrt{2}$

(3) $0.3x^2 - 0.4x - 1 = 0$의 양변에 10을 곱하면

$\quad 3x^2 - 4x - 10 = 0$

$\quad \therefore x = \dfrac{-(-2) \pm \sqrt{(-2)^2 - 3 \times (-10)}}{3}$

$\quad\quad = \dfrac{2 \pm \sqrt{34}}{3}$

(4) $\dfrac{1}{5}x^2 = \dfrac{1}{2}x + \dfrac{1}{2}$의 양변에 10을 곱하면

$\quad 2x^2 = 5x + 5, \ 2x^2 - 5x - 5 = 0$

$\quad \therefore x = \dfrac{-(-5) \pm \sqrt{(-5)^2 - 4 \times 2 \times (-5)}}{2 \times 2}$

$\quad\quad = \dfrac{5 \pm \sqrt{65}}{4}$

(5) $\dfrac{1}{2}x^2 + \dfrac{5}{6}x + \dfrac{1}{3} = 0$의 양변에 6을 곱하면

$\quad 3x^2 + 5x + 2 = 0, \ (3x+2)(x+1) = 0$

$\quad \therefore x = -\dfrac{2}{3} \text{ 또는 } x = -1$

(6) $\dfrac{1}{2}x^2 = x - 0.4$의 양변에 10을 곱하면

$\quad 5x^2 = 10x - 4, \ 5x^2 - 10x + 4 = 0$

$\quad \therefore x = \dfrac{-(-5) \pm \sqrt{(-5)^2 - 5 \times 4}}{5}$

$\quad\quad = \dfrac{5 \pm \sqrt{5}}{5}$

(7) $\dfrac{1}{5}x^2 - 0.3x - \dfrac{1}{2} = 0$의 양변에 10을 곱하면

$\quad 2x^2 - 3x - 5 = 0, \ (2x-5)(x+1) = 0$

$\quad \therefore x = \dfrac{5}{2} \text{ 또는 } x = -1$

7 연속하는 두 자연수를 x, $x+1$이라고 하면

$\quad x(x+1) = 132, \ x^2 + x = 132$

$\quad x^2 + x - 132 = 0, \ (x+12)(x-11) = 0$

$\quad \therefore x = -12 \text{ 또는 } x = 11$

이때 x는 자연수이므로 $x = 11$

따라서 구하는 두 자연수는 11, 12이다.

8 $\dfrac{n(n+1)}{2} = 55$에서 $n(n+1) = 110$

$\quad n^2 + n = 110, \ n^2 + n - 110 = 0$

$\quad (n+11)(n-10) = 0$

$\quad \therefore n = -11 \text{ 또는 } n = 10$

이때 n은 자연수이므로 $n = 10$

따라서 1부터 10까지의 자연수를 더해야 한다.

9 윗변의 길이를 x cm라고 하면 높이는 $(x+2)$ cm이므로

$\quad \dfrac{1}{2}(x+5)(x+2) = 20, \ (x+5)(x+2) = 40$

$\quad x^2 + 7x + 10 = 40, \ x^2 + 7x - 30 = 0$

$\quad (x+10)(x-3) = 0 \quad \therefore x = -10 \text{ 또는 } x = 3$

이때 $x > 0$이므로 $x = 3$

따라서 윗변의 길이는 3 cm이다.

교과서 **기출 베스트 ①**			22쪽 ~ 23쪽
1 ④	2 ⑤	3 ⑤	4 ②
5 ③	6 14	7 3초 후	8 3 m

1 $x^2-4x-7=0$에서 $x^2-4x=7$

$x^2-4x+4=7+4$, $(x-2)^2=11$

따라서 $A=-2$, $B=11$이므로

$A+B=-2+11=9$

2 ⑤ $7\pm\sqrt{33}$

3 $x=\dfrac{-(-7)\pm\sqrt{(-7)^2-4\times2\times(-2)}}{2\times2}$

$=\dfrac{7\pm\sqrt{65}}{4}$

따라서 $A=7$, $B=65$이므로

$A+B=7+65=72$

4 $x=\dfrac{-1\pm\sqrt{1^2-3\times(-3)}}{3}$

$=\dfrac{-1\pm\sqrt{10}}{3}$

5 $0.2x^2+\dfrac{1}{2}x-\dfrac{3}{10}=0$의 양변에 10을 곱하면

$2x^2+5x-3=0$, $(2x-1)(x+3)=0$

$\therefore x=\dfrac{1}{2}$ 또는 $x=-3$

따라서 두 근 중 큰 근은 $x=\dfrac{1}{2}$이므로 $p=\dfrac{1}{2}$

$\therefore 5-2p=5-2\times\dfrac{1}{2}=4$

6 연속하는 세 자연수를 $x-1$, x, $x+1$이라고 하면

$(x+1)^2=2x(x-1)-116$

$x^2+2x+1=2x^2-2x-116$

$x^2-4x-117=0$, $(x+9)(x-13)=0$

$\therefore x=-9$ 또는 $x=13$

이때 $x\geq2$인 자연수이므로 $x=13$

따라서 세 자연수 중 가장 큰 수는 14이다.

7 $30t-3t^2=63$에서 $3t^2-30t+63=0$

$t^2-10t+21=0$, $(t-3)(t-7)=0$

$\therefore t=3$ 또는 $t=7$

따라서 야구공의 높이가 처음으로 63 m가 되는 것은 타자가 공을 친 지 3초 후이다.

8 길의 폭을 x m라고 하면

$(12-x)(7-x)=36$, $x^2-19x+84=36$

$x^2-19x+48=0$, $(x-3)(x-16)=0$

$\therefore x=3$ 또는 $x=16$

이때 $0<x<7$이므로 $x=3$

따라서 길의 폭은 3 m이다.

교과서 기출 베스트 ②회 | 24쪽 ~25쪽

1 ①	2 ②	3 ②	4 ⑤
5 ②	6 ③	7 ③	8 2

1 $x^2-3x-3=0$에서 $x^2-3x=3$

$x^2-3x+\dfrac{9}{4}=3+\dfrac{9}{4}$, $\left(x-\dfrac{3}{2}\right)^2=\dfrac{21}{4}$

따라서 $p=-\dfrac{3}{2}$, $q=\dfrac{21}{4}$이므로

$p+q=-\dfrac{3}{2}+\dfrac{21}{4}=\dfrac{15}{4}$

2 양변을 x^2의 계수인 2로 나누면

$x^2+\dfrac{3}{2}x-\dfrac{1}{2}=0$

상수항을 우변으로 이항하면

$x^2+\dfrac{3}{2}x=\boxed{① \dfrac{1}{2}}$

양변에 $\left(\dfrac{x\text{의 계수}}{2}\right)^2$인 $\left(\dfrac{3}{2}\div2\right)^2=\dfrac{9}{16}$를 더하면

$x^2+\dfrac{3}{2}x+\dfrac{9}{16}=\dfrac{1}{2}+\dfrac{9}{16}$

좌변을 완전제곱식으로 고치고 우변을 정리하면

$$\left(x+\frac{3}{4}\right)^2= \boxed{②\ \frac{17}{16}}$$

제곱근을 이용하여 해를 구하면

$$x+\boxed{③\ \frac{3}{4}}=\boxed{④\ \pm\frac{\sqrt{17}}{4}}$$

$$\therefore x=\boxed{⑤\ \frac{-3\pm\sqrt{17}}{4}}$$

따라서 옳지 않은 것은 ②이다.

3 　$x=\dfrac{-(-5)\pm\sqrt{(-5)^2-4\times3\times(-1)}}{2\times3}$

　　$=\dfrac{5\pm\sqrt{37}}{6}$

따라서 $p=5$, $q=37$이므로
$p+q=5+37=42$

4 　$x=\dfrac{-(-2)\pm\sqrt{(-2)^2-3\times(-1)}}{3}$

　　$=\dfrac{2\pm\sqrt{7}}{3}$

5 　$0.2x^2+0.1x=\dfrac{3}{2}$의 양변에 10을 곱하면

$2x^2+x=15$, $2x^2+x-15=0$
$(2x-5)(x+3)=0$
$\therefore x=\dfrac{5}{2}$ 또는 $x=-3$

6 　연속하는 두 홀수를 x, $x+2$라고 하면
$x^2+(x+2)^2=394$, $x^2+x^2+4x+4=394$
$2x^2+4x-390=0$, $x^2+2x-195=0$
$(x+15)(x-13)=0$
$\therefore x=-15$ 또는 $x=13$
이때 x는 자연수이므로 $x=13$

따라서 두 홀수는 13, 15이므로 그 합은
$13+15=28$

7 　물 로켓이 지면에 떨어질 때의 높이는 0 m이므로
$-5x^2+5x+30=0$에서 $x^2-x-6=0$
$(x+2)(x-3)=0$
$\therefore x=-2$ 또는 $x=3$
이때 $x>0$이므로 $x=3$
따라서 쏘아 올린 물 로켓이 지면에 떨어지는 데 걸리는
시간은 3초이다.

8 　$(18-x)(10-x)=128$에서 $x^2-28x+180=128$
$x^2-28x+52=0$, $(x-2)(x-26)=0$
$\therefore x=2$ 또는 $x=26$
이때 $0<x<10$이므로 $x=2$

이차함수의 뜻과 그래프(1)

시험지 속 **개념 문제** | 29쪽, 31쪽

1 ㉠, ㉢
2 (1) $y=\pi x^2$, ○ (2) $y=4x+4$, × (3) $y=60x$, ×
3 (1) 16 (2) -2 (3) -4 (4) 10
4 (1) 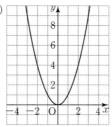 (2)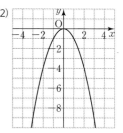

5 ④
6 ④
7 (1) 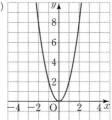 (2)

8 ①

9 ㉠과 ㉢, ㉡과 ㉣

10 정민

1 ㉠ $y=x^2-2x+1$이므로 이차함수이다.
㉡ 일차함수이다.
㉢ 이차함수이다.
㉣ x^2이 분모에 있으므로 이차함수가 아니다.
㉤ 이차함수가 아니다.
㉥ $y=x^2+2x+1-x^2=2x+1$이므로 일차함수이다.
따라서 이차함수인 것은 ㉠, ㉢이다.

2 (1) $y=\pi x^2$이므로 이차함수이다.
(2) $y=4(x+1)=4x+4$이므로 일차함수이다.
(3) $y=60x$이므로 일차함수이다.

3 (1) $f(2)=2\times 2^2+5\times 2-2$
$=8+10-2=16$
(2) $f(0)=2\times 0^2+5\times 0-2$
$=0+0-2=-2$
(3) $f(-2)=2\times(-2)^2+5\times(-2)-2$
$=8-10-2=-4$
(4) $f\left(\dfrac{3}{2}\right)=2\times\left(\dfrac{3}{2}\right)^2+5\times\dfrac{3}{2}-2$
$=\dfrac{9}{2}+\dfrac{15}{2}-2=10$

5 ④ $x>0$일 때, x의 값이 증가하면 y의 값도 증가한다.

6 ① 위로 볼록한 곡선이다.
② y축에 대칭이다.
③ $x<0$일 때, x의 값이 증가하면 y의 값도 증가한다.
⑤ $y=x^2$의 그래프와 x축에 대칭이다.

8 x^2의 계수의 절댓값이 클수록 그래프의 폭이 좁아지고
$\left|\dfrac{1}{5}\right|<|-1|<\left|\dfrac{3}{2}\right|<|2|<|-5|$이므로 그래프의 폭이 가장 좁은 것은 ①이다.

9 두 이차함수의 그래프가 x축에 대칭이면 x^2의 계수의 절댓값이 같고 부호가 반대이므로 ㉠과 ㉢, ㉡과 ㉣의 그래프가 각각 x축에 대칭이다.

10 x^2의 계수의 절댓값이 작을수록 그래프의 폭이 넓어지고
$\left|-\dfrac{1}{3}\right|<\left|\dfrac{1}{2}\right|<\left|-\dfrac{5}{4}\right|<|3|<|4|=|-4|$이므로
그래프의 폭이 가장 넓은 것은 ㉥이다.
따라서 잘못 설명한 학생은 정민이다.

교과서 기출 베스트 ❶회 | 32쪽 ~33쪽

1 ④	2 ㉡, ㉢	3 −18	4 ③
5 ③	6 ㉣, ㉠, ㉢, ㉡ 7 ⑤		8 ①

1 ① $y=x^2-1$이므로 이차함수이다.
②, ③ 이차함수이다.
④ $y=-x^3+x$이므로 이차함수가 아니다.
⑤ $y=4(x^2-2x+1)-3=4x^2-8x+1$이므로 이차함수이다.
따라서 이차함수가 아닌 것은 ④이다.

2 ㉠ $y=300x$이므로 일차함수이다.
㉡ $y=\dfrac{1}{2}x(16-x)=-\dfrac{1}{2}x^2+8x$이므로 이차함수이다.
㉢ $y=(x+2)^2=x^2+4x+4$이므로 이차함수이다.
㉣ $y=x^3$이므로 이차함수가 아니다.
따라서 이차함수인 것은 ㉡, ㉢이다.

3 $f(3)=3^2-3\times3+2$
$\qquad=9-9+2=2$
$f(-3)=(-3)^2-3\times(-3)+2$
$\qquad\quad=9+9+2=20$
$\therefore f(3)-f(-3)=2-20=-18$

4 $y=ax^2$에 $x=3, y=-9$를 대입하면
$-9=a\times3^2$ $\quad\therefore a=-1$
따라서 $y=-x^2$에 $x=-2, y=b$를 대입하면
$b=-(-2)^2=-4$
$\therefore a-b=-1-(-4)=3$

5 ③ y축을 축으로 하는 포물선이다.

6 x^2의 계수의 절댓값이 작을수록 그래프의 폭이 넓어지고
$\left|-\dfrac{1}{4}\right|<\left|\dfrac{1}{2}\right|<|2|<|-3|$이므로 그래프의 폭이 넓은 것부터 차례대로 나열하면 ㉣, ㉠, ㉢, ㉡이다.

7 구하는 이차함수의 식을 $y=ax^2$으로 놓고
$x=1, y=2$를 대입하면
$2=a\times1^2$ $\quad\therefore a=2$
따라서 구하는 이차함수의 식은 $y=2x^2$

8 $y=2x^2$의 그래프와 x축에 대칭인 그래프의 식은
$y=-2x^2$이므로 $a=-2$
따라서 $y=-2x^2$에 $x=-3, y=b$를 대입하면
$b=-2\times(-3)^2=-18$
$\therefore a+b=-2+(-18)=-20$

교과서 기출 베스트 ❷회 | 34쪽 ~35쪽

1 ②, ⑤	2 ③	3 ①	4 ①
5 ③	6 ⑤	7 ③	8 ④

1 ①, ③ 일차함수이다.
② 이차함수이다.
④ $y=x^2-x-6-x^2=-x-6$이므로 일차함수이다.
⑤ $y=3x^2-2x^2-6x=x^2-6x$이므로 이차함수이다.
따라서 이차함수인 것은 ②, ⑤이다.

2 ① $y=5x$이므로 일차함수이다.
② $y=2\pi x$이므로 일차함수이다.
③ $y=\dfrac{x(x-3)}{2}=\dfrac{1}{2}x^2-\dfrac{3}{2}x$이므로 이차함수이다.
④ $y=\dfrac{50}{x}$이므로 이차함수가 아니다.

⑤ $y=500x+600x=1100x$이므로 일차함수이다.
따라서 이차함수인 것은 ③이다.

3 $f(-2)=-3\times(-2)^2-a\times(-2)+6$
$\qquad\qquad=-12+2a+6=2a-6$
즉 $2a-6=-10$이므로
$2a=-4$ $\therefore a=-2$
따라서 $f(x)=-3x^2+2x+6$이므로
$f(1)=-3\times1^2+2\times1+6$
$\qquad\quad=-3+2+6=5$
$\therefore b=5$
$\therefore ab=-2\times5=-10$

4 $y=ax^2$에 $x=2, y=-12$를 대입하면
$-12=a\times2^2$ $\therefore a=-3$
따라서 $y=-3x^2$에 $x=-3, y=b$를 대입하면
$b=-3\times(-3)^2=-27$
$\therefore a+b=-3+(-27)=-30$

5 ① 위로 볼록한 포물선이다.
② 꼭짓점의 좌표는 $(0, 0)$이다.
④ $y=2x^2$의 그래프와 x축에 대칭이다.
⑤ 원점을 제외한 모든 부분이 x축보다 아래쪽에 있다.

6 ㉠, ㉡은 아래로 볼록한 포물선이고, ㉠이 ㉡보다 폭이
좁으므로 ㉠ $y=2x^2$, ㉡ $y=x^2$이다.
㉢은 위로 볼록한 포물선이므로 ㉢ $y=-\dfrac{1}{3}x^2$이다.

7 구하는 이차함수의 식을 $y=ax^2$으로 놓고
$x=3, y=-6$을 대입하면
$-6=a\times3^2$ $\therefore a=-\dfrac{2}{3}$
따라서 구하는 이차함수의 식은 $y=-\dfrac{2}{3}x^2$

8 $y=-4x^2$의 그래프와 x축에 대칭인 그래프의 식은
$y=4x^2$이므로 $a=4$
따라서 $y=4x^2$에 $x=-\dfrac{3}{2}, y=b$를 대입하면
$b=4\times\left(-\dfrac{3}{2}\right)^2=9$
$\therefore a+b=4+9=13$

✦ 4일 이차함수의 뜻과 그래프(2)

시험지 속 개념 문제 | 39쪽, 41쪽

1 (1) $y=x^2+1$, $(0,1)$, $x=0$

(2) $y=\dfrac{1}{2}x^2-3$, $(0,-3)$, $x=0$

(3) $y=-4x^2+2$, $(0,2)$, $x=0$

(4) $y=-\dfrac{3}{5}x^2-1$, $(0,-1)$, $x=0$

2 (1) 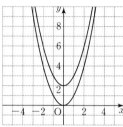 (2)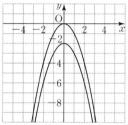

3 (1) $y=6(x-3)^2$, $(3,0)$, $x=3$

(2) $y=\dfrac{1}{5}(x+1)^2$, $(-1,0)$, $x=-1$

(3) $y=-\dfrac{4}{3}(x-2)^2$, $(2,0)$, $x=2$

(4) $y=-2(x+3)^2$, $(-3,0)$, $x=-3$

4 (1) 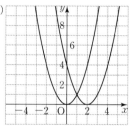 (2)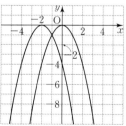

5 (1) $y=\dfrac{7}{2}(x-1)^2+2$, $(1,2)$, $x=1$

(2) $y=5(x-4)^2-1$, $(4,-1)$, $x=4$

(3) $y=-\dfrac{4}{5}(x+3)^2+5$, $(-3,5)$, $x=-3$

(4) $y=-7(x+1)^2-2$, $(-1,-2)$, $x=-1$

6 1

7 ③

8 <, 2, <, >

6 $y=ax^2$의 그래프를 x축의 방향으로 p만큼, y축의 방향으로 q만큼 평행이동한 그래프의 식은

$y=a(x-p)^2+q$

따라서 $a=-3$, $p=-1$, $q=5$이므로

$a+p+q=-3+(-1)+5=1$

7 $y=\dfrac{1}{4}(x-4)^2-1$의 그래프는 아래로 볼록하고, 꼭짓점의 좌표가 $(4,-1)$이다.

또 $y=\dfrac{1}{4}(x-4)^2-1$에 $x=0$을 대입하면

$y=\dfrac{1}{4}\times(0-4)^2-1=3$이므로 점 $(0,3)$을 지난다.

따라서 그래프는 ③이다.

교과서 기출 베스트 ①회 | 42쪽~43쪽

| 1 ③ | 2 ② | 3 ㉠, ㉢ | 4 ⑤ |
| 5 ④ | 6 ① | 7 꼭짓점 | 8 ④ |

1 ③ 꼭짓점의 좌표는 $(0,-1)$이다.

⑤ $y=\dfrac{1}{2}x^2-1$의 그래프는 오른쪽 그림과 같으므로 모든 사분면을 지난다.

따라서 옳지 않은 것은 ③이다.

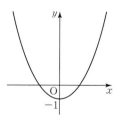

2 $y=ax^2$의 그래프를 y축의 방향으로 3만큼 평행이동한 그래프의 식은 $y=ax^2+3$

$y=ax^2+3$에 $x=1$, $y=2$를 대입하면

$2=a\times1^2+3$ $\quad\therefore a=-1$

3 ㄴ 축의 방정식은 $x=-2$이다.
  ㄹ x축과 한 점에서 만난다.

4 $y=\dfrac{1}{3}x^2$의 그래프를 x축의 방향으로 -4만큼 평행이동한 그래프의 식은 $y=\dfrac{1}{3}(x+4)^2$

$y=\dfrac{1}{3}(x+4)^2$에 $x=-1$, $y=k$를 대입하면

$k=\dfrac{1}{3}\times(-1+4)^2=3$

5 ④ $x<1$일 때, x의 값이 증가하면 y의 값은 감소한다.
  ⑤ $y=2(x-1)^2-3$에 $x=0$, $y=-1$을 대입하면
    $-1=2\times(0-1)^2-3$이므로 점 $(0,-1)$을 지난다.
  따라서 옳지 않은 것은 ④이다.

6 $y=3x^2$의 그래프를 x축의 방향으로 p만큼, y축의 방향으로 q만큼 평행이동한 그래프의 식은
$y=3(x-p)^2+q$
따라서 $a=3$, $p=-5$, $q=-4$이므로
$a+p+q=3+(-5)+(-4)=-6$

7 그래프가 위로 볼록하므로 $a<0$ → 꼭
꼭짓점 (p,q)가 제1사분면 위에 있으므로
$p>0$ → 짓, $q>0$ → 점
따라서 단어는 꼭짓점이다.

8 $y=-\dfrac{1}{2}(x+3)^2+2$의 그래프를 x축의 방향으로 -1만큼, y축의 방향으로 -1만큼 평행이동한 그래프의 식은
$y=-\dfrac{1}{2}(x+3+1)^2+2-1$, 즉 $y=-\dfrac{1}{2}(x+4)^2+1$

교과서 기출 베스트 2회 | 44쪽~45쪽

1 나영, 진욱	**2** ②	**3** ②, ③	**4** ⑤
5 ③	**6** ④	**7** ③	**8** 0

1 준수 : $y=-x^2+4$에 $x=1$, $y=5$를 대입하면
    $5\neq-1^2+4$이므로 점 $(1,5)$를 지나지 않는다.
  태민 : 꼭짓점의 좌표는 $(0,4)$이다.
  진욱 : x^2의 계수가 같으므로 이차함수 $y=-x^2$의 그래프와 모양이 같다.
  혜원 : 이차함수 $y=-x^2$의 그래프를 y축의 방향으로 4만큼 평행이동한 그래프이다.
  따라서 바르게 설명한 학생은 나영, 진욱이다.

2 $y=ax^2$의 그래프를 y축의 방향으로 8만큼 평행이동한 그래프의 식은 $y=ax^2+8$
$y=ax^2+8$에 $x=3$, $y=2$를 대입하면
$2=a\times3^2+8$, $9a=-6$
$\therefore a=-\dfrac{2}{3}$

3 ① 꼭짓점의 좌표는 $(-5,0)$이다.
  ③ $|-4|=|4|$이므로 $y=4x^2$의 그래프와 폭이 같다.
  ④ $y=-4x^2$의 그래프를 x축의 방향으로 -5만큼 평행이동한 것이다.
  ⑤ $x>-5$일 때, x의 값이 증가하면 y의 값은 감소한다.
  따라서 옳은 것은 ②, ③이다.

4 $y=a(x-p)^2$의 그래프의 꼭짓점의 좌표는 $(p,0)$이므로 $p=5$
따라서 $y=a(x-5)^2$에 $x=3$, $y=1$을 대입하면
$1=a\times(3-5)^2$ $\therefore a=\dfrac{1}{4}$
$\therefore 4a+p=4\times\dfrac{1}{4}+5=6$

5 ① 위로 볼록한 포물선이다.

② 꼭짓점의 좌표는 $(-3, 5)$이다.

④ $\left|-\dfrac{1}{2}\right| \neq |-2|$이므로 $y=-2x^2$의 그래프와 폭이 같지 않다.

⑤ $y=-\dfrac{1}{2}x^2$의 그래프를 x축의 방향으로 -3만큼, y축의 방향으로 5만큼 평행이동한 것이다.

6 $y=ax^2$의 그래프를 x축의 방향으로 p만큼, y축의 방향으로 q만큼 평행이동한 그래프의 식은

$y=a(x-p)^2+q$

따라서 $a=4$, $p=-2$, $q=3$이므로

$a+p+q=4+(-2)+3=5$

7 그래프가 아래로 볼록하므로 $a>0$

꼭짓점 (p, q)가 제3사분면 위에 있으므로

$p<0$, $q<0$

8 $y=(x+3)^2+2$의 그래프를 x축의 방향으로 4만큼, y축의 방향으로 -3만큼 평행이동한 그래프의 식은

$y=(x+3-4)^2+2-3$, 즉 $y=(x-1)^2-1$

따라서 $p=-1$, $q=-1$이므로

$p-q=-1-(-1)=0$

시험지 속 개념 문제 | 49쪽, 51쪽

1 (1) 4, 4, 2, 2 (2) $(2, -2)$ (3) $(0, 6)$

(4)
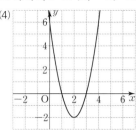

2 (1) $y=\dfrac{1}{3}(x-3)^2-1$

(2) 꼭짓점의 좌표 : $(3, -1)$, 축의 방정식 : $x=3$

3 ③

4 $>$, 다른, $<$, $<$

5 (1) $y=x^2+6x+9$ (2) $y=x^2-2x-1$

6 (1) $y=3x^2-12x+8$ (2) $y=x^2+2x-1$

7 (1) $y=x^2-2x$ (2) $y=-x^2+3x+2$

8 -7

1 (1) $y=2x^2-8x+6$

$=2(x^2-4x)+6$

$=2(x^2-4x+\boxed{4}-\boxed{4})+6$

$=2(x^2-4x+4)-8+6$

$=2(x-\boxed{2})^2-\boxed{2}$

(3) $y=2x^2-8x+6$에 $x=0$을 대입하면 $y=6$이므로 y축과의 교점의 좌표는 $(0, 6)$이다.

2 (1) $y=\dfrac{1}{3}x^2-2x+2$

$=\dfrac{1}{3}(x^2-6x)+2$

$=\dfrac{1}{3}(x^2-6x+9-9)+2$

$=\dfrac{1}{3}(x^2-6x+9)-3+2$

$=\dfrac{1}{3}(x-3)^2-1$

3 $y=-x^2-4x-5=-(x^2+4x)-5$
$\qquad =-(x^2+4x+4-4)-5$
$\qquad =-(x^2+4x+4)+4-5$
$\qquad =-(x+2)^2-1$
따라서 그래프는 위로 볼록하고, 꼭짓점의 좌표는
$(-2,-1)$, y축과의 교점의 좌표는 $(0,-5)$이므로 ③
이다.

5 (1) $y=a(x+3)^2$으로 놓고 $x=-1$, $y=4$를 대입하면
$\qquad 4=4a$ $\quad \therefore a=1$
$\qquad \therefore y=(x+3)^2=x^2+6x+9$
(2) $y=a(x-1)^2-2$로 놓고 $x=-2$, $y=7$을 대입하면
$\qquad 7=9a-2$, $9a=9$ $\quad \therefore a=1$
$\qquad \therefore y=(x-1)^2-2=x^2-2x-1$

6 (1) $y=a(x-2)^2+q$로 놓고
$\qquad x=1$, $y=-1$을 대입하면 $-1=a+q$ $\qquad$ ……㉠
$\qquad x=4$, $y=8$을 대입하면 $8=4a+q$ $\qquad$ ……㉡
$\qquad$ ㉠, ㉡을 연립하여 풀면 $a=3$, $q=-4$
$\qquad \therefore y=3(x-2)^2-4=3x^2-12x+8$
(2) $y=a(x+1)^2+q$로 놓고
$\qquad x=1$, $y=2$를 대입하면 $2=4a+q$ $\qquad$ ……㉠
$\qquad x=-2$, $y=-1$을 대입하면 $-1=a+q$ $\qquad$ ……㉡
$\qquad$ ㉠, ㉡을 연립하여 풀면 $a=1$, $q=-2$
$\qquad \therefore y=(x+1)^2-2=x^2+2x-1$

7 (1) $y=ax^2+bx+c$로 놓고
$\qquad x=0$, $y=0$을 대입하면 $c=0$
$\qquad$ 따라서 $y=ax^2+bx$에
$\qquad x=-1$, $y=3$을 대입하면 $3=a-b$ $\qquad$ ……㉠
$\qquad x=3$, $y=3$을 대입하면 $3=9a+3b$ $\qquad$ ……㉡
$\qquad$ ㉠, ㉡을 연립하여 풀면 $a=1$, $b=-2$
$\qquad \therefore y=x^2-2x$
(2) $y=ax^2+bx+c$로 놓고
$\qquad x=0$, $y=2$를 대입하면 $c=2$
$\qquad$ 따라서 $y=ax^2+bx+2$에
$\qquad x=1$, $y=4$를 대입하면 $4=a+b+2$ $\qquad$ ……㉠

$x=-1$, $y=-2$를 대입하면
$\qquad -2=a-b+2$ $\qquad$ ……㉡
$\qquad$ ㉠, ㉡을 연립하여 풀면 $a=-1$, $b=3$
$\qquad \therefore y=-x^2+3x+2$

8 꼭짓점의 좌표가 $(-1,5)$이고 점 $(0,2)$를 지나므로
$y=a(x+1)^2+5$로 놓고 $x=0$, $y=2$를 대입하면
$2=a+5$ $\quad \therefore a=-3$
$\therefore y=-3(x+1)^2+5=-3x^2-6x+2$
따라서 $a=-3$, $b=-6$, $c=2$이므로
$a+b+c=-3+(-6)+2=-7$

교과서 **기출 베스트** ❶회 $\qquad$ **52쪽~53쪽**

1 15	**2** ②	**3** ④	**4** ③
5 7	**6** ④	**7** ⑤	
8 (1) $A(-3,13)$, $B(0,4)$ (2) 6			

1 $y=-x^2+4x+9=-(x^2-4x)+9$
$\qquad =-(x^2-4x+4-4)+9$
$\qquad =-(x^2-4x+4)+4+9$
$\qquad =-(x-2)^2+13$
따라서 $p=2$, $q=13$이므로
$p+q=2+13=15$

2 $y=2x^2+4x+3=2(x^2+2x)+3$
$\qquad =2(x^2+2x+1-1)+3$
$\qquad =2(x^2+2x+1)-2+3$
$\qquad =2(x+1)^2+1$
② 꼭짓점의 좌표는 $(-1,1)$이다.
③ $y=2x^2+4x+3$에 $x=0$을 대입하면 $y=3$이므로
$\qquad y$축과 만나는 점의 좌표는 $(0,3)$이다.

④ $y=2x^2+4x+3$의 그래프는
오른쪽 그림과 같으므로 제1,
2사분면을 지난다.
따라서 옳지 않은 것은 ②이다.

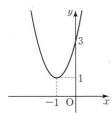

3 x^2의 계수가 같은 이차함수의 그래프는 평행이동하여 완
전히 포갤 수 있으므로 $y=2x^2$의 그래프를 평행이동하
여 완전히 포갤 수 있는 것은 x^2의 계수가 2인 ④이다.

4 그래프가 위로 볼록하므로 $a<0$
축이 y축의 오른쪽에 있으므로 a, b는 다른 부호이다.
$\therefore b>0$
또 y축과의 교점이 x축의 위쪽에 있으므로 $c>0$

5 꼭짓점의 좌표가 $(-1, -5)$이고 점 $(0, -2)$를 지나므
로 $y=a(x+1)^2-5$로 놓고
$x=0, y=-2$를 대입하면
$-2=a-5$ $\therefore a=3$
$\therefore y=3(x+1)^2-5=3x^2+6x-2$
따라서 $a=3, b=6, c=-2$이므로
$a+b+c=3+6+(-2)=7$

6 $y=a(x+1)^2+q$로 놓으면
꼭짓점이 x축 위에 있으므로 $q=0$
따라서 $y=a(x+1)^2$에 $x=-3, y=4$를 대입하면
$4=4a$ $\therefore a=1$
$\therefore y=(x+1)^2=x^2+2x+1$

7 $y=ax^2+bx+c$로 놓고
$x=0, y=2$를 대입하면 $c=2$

따라서 $y=ax^2+bx+2$에
$x=-2, y=4$를 대입하면 $4=4a-2b+2$ ······ ㉠
$x=-1, y=1$을 대입하면 $1=a-b+2$ ······ ㉡
㉠, ㉡을 연립하여 풀면 $a=2, b=3$
$\therefore y=2x^2+3x+2$

8 (1) $y=-x^2-6x+4=-(x^2+6x)+4$
$=-(x^2+6x+9-9)+4$
$=-(x^2+6x+9)+9+4$
$=-(x+3)^2+13$
따라서 꼭짓점의 좌표는 $(-3, 13)$이므로
A$(-3, 13)$
$y=-x^2-6x+4$에 $x=0$을 대입하면 $y=4$이므로
B$(0, 4)$
(2) $\triangle$AOB$=\dfrac{1}{2}\times 4\times 3=6$

교과서 기출 베스트 ❷ | 54쪽~55쪽

1 $p=2, q=-4$	**2** ③	
3 ㉢과 ㉣, ㉥과 ㉦	**4** ②	**5** ④
6 ⑤	**7** 3	**8** $\dfrac{21}{2}$

1 $y=-2x^2+8x-12=-2(x^2-4x)-12$
$=-2(x^2-4x+4-4)-12$
$=-2(x^2-4x+4)+8-12$
$=-2(x-2)^2-4$
$\therefore p=2, q=-4$

2 $y=-2x^2+12x-13=-2(x^2-6x)-13$
$=-2(x^2-6x+9-9)-13$
$=-2(x^2-6x+9)+18-13$
$=-2(x-3)^2+5$

① 축의 방정식은 $x=3$이다.

② 꼭짓점의 좌표는 $(3, 5)$이다.

④ $y=-2x^2+12x-13$의 그래프
는 오른쪽 그림과 같으므로
제2사분면을 지나지 않는다.

⑤ $y=-2x^2$의 그래프를 x축의 방
향으로 3만큼, y축의 방향으로
5만큼 평행이동한 것이다.

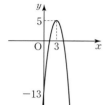

3 x^2의 계수가 같은 이차함수의 그래프는 평행이동하여 완
전히 포갤 수 있으므로 x^2의 계수가 같은 것끼리 짝 지으
면 ⓒ과 ⓗ, ⓔ과 ⓜ이다.

4 그래프가 아래로 볼록하므로 $a>0$
축이 y축의 왼쪽에 있으므로 a, b는 같은 부호이다.
$\therefore b>0$
또 y축과의 교점이 x축의 아래쪽에 있으므로 $c<0$

5 $y=a(x-1)^2+3$으로 놓고 $x=0$, $y=5$를 대입하면
$5=a+3$ $\therefore a=2$
$\therefore y=2(x-1)^2+3=2x^2-4x+5$

6 축의 방정식이 $x=3$이고 두 점 $(0, -5)$, $(4, 3)$을 지나
므로 $y=a(x-3)^2+q$로 놓고
$x=0$, $y=-5$를 대입하면 $-5=9a+q$ $\cdots\cdots$ ㉠
$x=4$, $y=3$을 대입하면 $3=a+q$ $\cdots\cdots$ ㉡
㉠, ㉡을 연립하여 풀면 $a=-1$, $q=4$
$\therefore y=-(x-3)^2+4=-x^2+6x-5$

7 세 점 $(0, 3)$, $(2, 3)$, $(3, 0)$을 지나므로
$y=ax^2+bx+c$로 놓고
$x=0$, $y=3$을 대입하면 $c=3$
따라서 $y=ax^2+bx+3$에

$x=2$, $y=3$을 대입하면 $3=4a+2b+3$ $\cdots\cdots$ ㉠
$x=3$, $y=0$을 대입하면 $0=9a+3b+3$ $\cdots\cdots$ ㉡
㉠, ㉡을 연립하여 풀면 $a=-1$, $b=2$
$\therefore 2a+b+c=2\times(-1)+2+3=3$

8 $y=\dfrac{1}{3}x^2+2x-7=\dfrac{1}{3}(x^2+6x)-7$

$=\dfrac{1}{3}(x^2+6x+9-9)-7$

$=\dfrac{1}{3}(x^2+6x+9)-3-7$

$=\dfrac{1}{3}(x+3)^2-10$

따라서 꼭짓점의 좌표는 $(-3, -10)$이므로
A$(-3, -10)$
$y=\dfrac{1}{3}x^2+2x-7$에 $x=0$을 대입하면 $y=-7$이므로
B$(0, -7)$
$\therefore \triangle\text{OAB}=\dfrac{1}{2}\times 7\times 3=\dfrac{21}{2}$

| 56쪽~57쪽

누구나 100점 테스트 ❶회

1 ②	**2** 동준, 진성	**3** ⑤	**4** ①
5 ②	**6** ①	**7** ③	**8** ⑤
9 ③	**10** ②		

1 ① $-x^2+3x+1=0$이므로 이차방정식이다.
② $x^2-4x+4=x^2$에서 $-4x+4=0$이므로 일차방정식이다.
③ $-5x^2+2x+3=0$이므로 이차방정식이다.
④ $2x^2+3=0$이므로 이차방정식이다.
⑤ $10x^2-10x=10x-8x^2$에서 $18x^2-20x=0$이므로 이차방정식이다.
따라서 이차방정식이 아닌 것은 ②이다.

2 $x=2$를 각각 대입해 보면
은하 : $2^2+3\times2-2\neq0$
동준 : $2^2+2\times2-8=0$
진성 : $(2-1)\times(2+2)=2^2$
진희 : $2\times2^2+3\times2-2\neq0$
따라서 $x=2$를 해로 갖는 이차방정식을 들고 있는 학생은 동준, 진성이다.

3 $x=-2$를 $x^2+ax+8=0$에 대입하면
$(-2)^2+a\times(-2)+8=0$
$4-2a+8=0$, $-2a=-12$ ∴ $a=6$

4 $x^2+5x=0$에서 $x(x+5)=0$
∴ $x=0$ 또는 $x=-5$

5 $4x^2-3=0$에서 $x^2=\dfrac{3}{4}$ ∴ $x=\pm\dfrac{\sqrt{3}}{2}$

6 $x^2-10x+4=0$에서 $x^2-10x=-4$
$x^2-10x+25=-4+25$, $(x-5)^2=21$
따라서 $a=-5$, $b=21$이므로
$a-b=-5-21=-26$

7 ③ 5

8 $x=\dfrac{-(-3)\pm\sqrt{(-3)^2-4\times3\times(-1)}}{2\times3}$
$=\dfrac{3\pm\sqrt{21}}{6}$
따라서 $a=3$, $b=21$이므로
$a+b=3+21=24$

9 $0.1x^2+0.4x=-0.2$의 양변에 10을 곱하면
$x^2+4x=-2$, $x^2+4x+2=0$
∴ $x=\dfrac{-2\pm\sqrt{2^2-1\times2}}{1}$
$=-2\pm\sqrt{2}$

10 $-4t^2+16t+1=17$에서 $-4t^2+16t-16=0$
$t^2-4t+4=0$, $(t-2)^2=0$
∴ $t=2$
따라서 야구공이 지면으로부터의 높이가 17 m인 지점을 지날 때는 타자가 야구공을 친 지 2초 후이다.

누구나 100점 테스트 ❷회

| 58쪽~59쪽

1 여정, 우식	**2** ④	**3** ②	**4** ②
5 ⑤	**6** ③	**7** ⑤	**8** ③
9 ④	**10** ⑤		

1 서진 : x^2이 분모에 있으므로 이차함수가 아니다.

여정 : $y=x^2-4x+4-x=x^2-5x+4$이므로 이차함수이다.

우식 : $y=-x^2-1$이므로 이차함수이다.

유미 : $y=4x^2-4x+1-4x^2=-4x+1$이므로 일차함수이다.

따라서 이차함수를 적은 학생은 여정, 우식이다.

2 ① 모두 y축을 축으로 하는 포물선이다.

② 그래프의 모양이 아래로 볼록한 것은 x^2의 계수가 양수인 ⓒ, ⑩, ⑭이다.

③ x^2의 절댓값이 클수록 그래프의 폭이 좁아지고 $\left|-\dfrac{1}{3}\right|<\left|-\dfrac{1}{2}\right|=\left|\dfrac{1}{2}\right|<|2|<|-3|<|4|$이므로 그래프의 폭이 가장 좁은 것은 ⑭이다.

④ x축에 대칭인 것끼리 짝 지으면 x^2의 계수의 절댓값이 같고 부호가 반대인 ㉠과 ㉢이다.

⑤ $x>0$일 때, x의 값이 증가하면 y의 값은 감소하는 것은 x^2의 계수가 음수인 ㉠, ㉡, ㉣이다.

따라서 옳은 것은 ④이다.

3 x^2의 계수가 같은 이차함수의 그래프는 평행이동하여 완전히 포갤 수 있으므로 $y=-\dfrac{2}{3}x^2$의 그래프를 평행이동하여 완전히 포갤 수 있는 것은 x^2의 계수가 $-\dfrac{2}{3}$인 ②이다.

4 $y=2x^2$의 그래프를 x축의 방향으로 -2만큼 평행이동한 그래프의 식은 $y=2(x+2)^2$

$y=2(x+2)^2$에 $x=-3$, $y=k$를 대입하면

$k=2\times(-3+2)^2=2$

5 $y=\dfrac{2}{3}x^2$의 그래프를 x축의 방향으로 p만큼, y축의 방향

으로 q만큼 평행이동한 그래프의 식은

$y=\dfrac{2}{3}(x-p)^2+q$

따라서 $p=3$, $q=2$이므로

$p+q=3+2=5$

6 ③ $y=3(x+1)^2$의 그래프는 오른쪽 그림과 같으므로 제3사분면을 지나지 않는다.

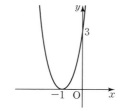

7 ⑤ $y=x(x-2)=x^2-2x$
$\qquad\quad =x^2-2x+1-1$
$\qquad\quad =(x-1)^2-1$

따라서 축의 방정식은 $x=1$이다.

8 ㉣ $y=2x^2+4x+4$
$\qquad\quad =2(x^2+2x)+4$
$\qquad\quad =2(x^2+2x+1-1)+4$
$\qquad\quad =2(x^2+2x+1)-2+4$
$\qquad\quad =2(x+1)^2+2$

① $|2|<|-5|$이므로 그래프의 폭은 ㉢이 ㉡보다 좁다.

② ㉠의 꼭짓점의 좌표는 $(0,0)$, ㉡의 꼭짓점의 좌표는 $(0,8)$이므로 ㉠과 ㉡의 꼭짓점의 좌표는 서로 다르다.

③ ㉢의 축의 방정식은 $x=-2$, ㉣의 축의 방정식은 $x=-1$이므로 ㉢과 ㉣의 축의 방정식은 서로 다르다.

④ 아래로 볼록한 그래프는 x^2의 계수가 양수인 ㉠, ㉡, ㉣이다.

⑤ x^2의 계수가 같으므로 ㉡의 그래프를 평행이동하면 ㉣의 그래프와 완전히 포갤 수 있다.

따라서 옳지 않은 것은 ③이다.

9 $y=-3x^2-6x-4$
$\quad=-3(x^2+2x)-4$
$\quad=-3(x^2+2x+1-1)-4$
$\quad=-3(x^2+2x+1)+3-4$
$\quad=-3(x+1)^2-1$

② $y=-3x^2-6x-4$에 $x=0$을 대입하면 $y=-4$이므로 점 $(0,-4)$를 지난다.

③ $y=-3x^2-6x-4$의 그래프는 오른쪽 그림과 같으므로 제3, 4사분면을 지난다.

④ $x>-1$일 때, x의 값이 증가하면 y의 값은 감소한다.

따라서 옳지 않은 것은 ④이다.

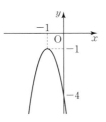

10 $y=a(x+2)^2+q$로 놓으면
꼭짓점이 x축 위에 있으므로 $q=0$
따라서 $y=a(x+2)^2$에 $x=-1$, $y=3$을 대입하면
$3=a\times(-1+2)^2$ $\quad\therefore a=3$
$\therefore y=3(x+2)^2=3x^2+12x+12$

서술형·사고력 테스트 | 60쪽 ~61쪽

1 20

2 (1) $x=-\dfrac{3}{2}$ 또는 $x=3$ (2) $x=4\pm\sqrt{3}$

3 (1) $x-6$ (2) $(6+2\sqrt{15})$ cm

4 (1) $y=3(x-2)^2-11$
   (2) 꼭짓점의 좌표 : $(2,-11)$, 축의 방정식 : $x=2$

5 $k>4$

6 (1) A$(2,6)$ (2) C$(2,0)$ (3) B$(0,2)$ (4) 8

---

1 이차방정식 $x^2-8x+k=0$이 중근을 가지므로
$k=\left(\dfrac{-8}{2}\right)^2=16$ ...... (가)
이때 주어진 이차방정식은 $x^2-8x+16=0$이므로
$(x-4)^2=0$ $\quad\therefore x=4$
따라서 $a=4$이므로 ...... (나)
$a+k=4+16=20$ ...... (다)

채점 기준	비율
(가) k의 값 구하기	40 %
(나) a의 값 구하기	40 %
(다) $a+k$의 값 구하기	20 %

2 (1) $2x^2-3x-9=0$에서 $(2x+3)(x-3)=0$
$\quad\therefore x=-\dfrac{3}{2}$ 또는 $x=3$ ...... (가)
(2) $x^2-8x+13=0$에서 $x^2-8x=-13$
$\quad x^2-8x+16=-13+16$, $(x-4)^2=3$
$\quad x-4=\pm\sqrt{3}$
$\quad\therefore x=4\pm\sqrt{3}$ ...... (나)

채점 기준	비율
(가) 이차방정식 $2x^2-3x-9=0$ 풀기	50 %
(나) 이차방정식 $x^2-8x+13=0$ 풀기	50 %

3 (1) $x-3\times2=x-6$ ...... (가)
(2) 포장 상자의 부피가 180 cm³이므로
$\quad 3(x-6)^2=180$ ...... (나)
$\quad (x-6)^2=60$, $x-6=\pm\sqrt{60}$
$\quad x-6=\pm2\sqrt{15}$
$\quad\therefore x=6\pm2\sqrt{15}$ ...... (다)
이때 $x>6$이므로 $x=6+2\sqrt{15}$
따라서 처음 정사각형 모양의 종이의 한 변의 길이는
$(6+2\sqrt{15})$ cm이다. ...... (라)

채점 기준	비율
(가) □ 안에 알맞은 식 구하기	20 %
(나) 이차방정식 세우기	30 %
(다) 이차방정식 풀기	30 %
(라) 답 구하기	20 %

4 (1) $y=3x^2-12x+1$

$=3(x^2-4x)+1$

$=3(x^2-4x+4-4)+1$

$=3(x^2-4x+4)-12+1$

$=3(x-2)^2-11$ ⋯⋯ (가)

(2) 이차함수 $y=3x^2-12x+1$의 그래프의 꼭짓점의 좌표는 $(2, -11)$, 축의 방정식은 $x=2$이다. ⋯⋯ (나)

채점 기준	비율
(가) 이차함수 $y=3x^2-12x+1$을 $y=a(x-p)^2+q$의 꼴로 나타내기	50 %
(나) 꼭짓점의 좌표와 축의 방정식 구하기	50 %

5 $y=\dfrac{1}{4}x^2+2x+k$

$=\dfrac{1}{4}(x^2+8x)+k$

$=\dfrac{1}{4}(x^2+8x+16-16)+k$

$=\dfrac{1}{4}(x^2+8x+16)-4+k$

$=\dfrac{1}{4}(x+4)^2-4+k$ ⋯⋯ (가)

이때 꼭짓점의 좌표는 $(-4, -4+k)$이고 ⋯⋯ (나)

제2사분면 위에 있으므로

$-4+k>0$ ∴ $k>4$ ⋯⋯ (다)

채점 기준	비율
(가) 이차함수 $y=\dfrac{1}{4}x^2+2x+k$를 $y=a(x-p)^2+q$의 꼴로 나타내기	40 %
(나) 꼭짓점의 좌표 구하기	20 %
(다) k의 값의 범위 구하기	40 %

6 (1) $y=-x^2+4x+2=-(x^2-4x)+2$

$=-(x^2-4x+4-4)+2$

$=-(x^2-4x+4)+4+2$

$=-(x-2)^2+6$

따라서 꼭짓점의 좌표는 $(2, 6)$이므로

$A(2, 6)$ ⋯⋯ (가)

(2) 점 C는 점 A에서 x축에 내린 수선의 발이므로

$C(2, 0)$ ⋯⋯ (나)

(3) $y=-x^2+4x+2$에 $x=0$을 대입하면 $y=2$이므로

$B(0, 2)$ ⋯⋯ (다)

(4) $\square ABOC=\dfrac{1}{2}\times(2+6)\times2=8$ ⋯⋯ (라)

채점 기준	비율
(가) 점 A의 좌표 구하기	30 %
(나) 점 C의 좌표 구하기	20 %
(다) 점 B의 좌표 구하기	20 %
(라) $\square ABOC$의 넓이 구하기	30 %

창의·융합·코딩 **테스트** | 62쪽~63쪽 |

1 32살

2 (1) $x-1, x-1, 4, 4, 2, 2, 1, 2, 3, 1$

(2) $x+2, x+2, 2, 1, 1, 1, 1, 2, 3, 1$

3 B

4 (1) $y=\dfrac{1}{8}x^2+5$ (2) 13

1 왕비의 현재 나이를 x살이라고 하면 백설공주의 현재 나이는 $(x-16)$살이므로

$x(x-16)=512$, $x^2-16x-512=0$

$(x+16)(x-32)=0$

∴ $x=-16$ 또는 $x=32$

이때 x는 자연수이므로 $x=32$

따라서 왕비의 현재 나이는 32살이다.

3 $y=2x^2+4x-2=2(x^2+2x)-2$
$\qquad =2(x^2+2x+1-1)-2$
$\qquad =2(x^2+2x+1)-2-2$
$\qquad =2(x+1)^2-4$

㉠ 아래로 볼록하다. (➡)

㉡ $y=2x^2+4x-2$의 그래프는
오른쪽 그림과 같으므로 모든
사분면을 지난다. (↓)

㉢ 꼭짓점의 좌표는 $(-1, -4)$
이다. (➡)

따라서 은별이네 가족이 도착하
는 텐트는 B이다.

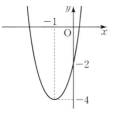

4 ⑴ 꼭짓점의 좌표가 $(0, 5)$이고 점 $(4, 7)$을 지나므로
$y=ax^2+5$로 놓고 $x=4$, $y=7$을 대입하면
$7=16a+5$, $16a=2$ $\qquad \therefore a=\dfrac{1}{8}$

따라서 놀이 기구를 나타내는 포물선을 그래프로 하
는 이차함수의 식은

$y=\dfrac{1}{8}x^2+5$

⑵ $y=\dfrac{1}{8}x^2+5$에 $x=8$, $y=h$를 대입하면

$h=\dfrac{1}{8}\times 8^2+5=13$

7일

1 ④	**2** ②	**3** ④	**4** ①
5 ③	**6** ①	**7** ⑤	**8** ④
9 ②	**10** ①	**11** ②	**12** ④
13 ⑤	**14** ①	**15** ④	**16** ②
17 ②	**18** $x=-\dfrac{1}{3}$	**19** 4년 후	**20** 6

1 ①, ② 이차방정식이다.
③ $x^2-2x+10=0$이므로 이차방정식이다.
④ $3x^2-5x=3x^2+x-1$에서 $-6x+1=0$이므로 일차
방정식이다.
⑤ $x^3+2x=x^3-2x^2+x$에서 $2x^2+x=0$이므로 이차방
정식이다.
따라서 이차방정식이 아닌 것은 ④이다.

2 $x=3$을 각각 대입해 보면
㉠ $3^2-11\times 3+24=0$
㉡ $(3-1)\times(3+3)\neq 0$
㉢ $(3-5)^2=4$
㉣ $2\times 3^2-8\times 3+3\neq 0$
따라서 $x=3$을 해로 갖는 것은 ㉠, ㉢이다.

3 $x=-2$를 $x^2-2x+k=0$에 대입하면
$(-2)^2-2\times(-2)+k=0$
$4+4+k=0$ $\qquad \therefore k=-8$
이때 주어진 이차방정식은 $x^2-2x-8=0$이므로
$(x+2)(x-4)=0$ $\qquad \therefore x=-2$ 또는 $x=4$
따라서 다른 한 근은 $x=4$이다.

4 $x(x-16)=a$에서 $x^2-16x-a=0$

이 이차방정식이 중근을 가지므로

$$-a=\left(\frac{-16}{2}\right)^2=64 \qquad \therefore a=-64$$

5 $25x^2-3=0$에서 $x^2=\frac{3}{25}$

$$\therefore x=\pm\frac{\sqrt{3}}{5}$$

6 $4x^2-8x-1=0$에서 $x^2-2x-\frac{1}{4}=0$

$$x^2-2x=\frac{1}{4}, \ x^2-2x+1=\frac{1}{4}+1, \ (x-1)^2=\frac{5}{4}$$

따라서 $a=-1, \ b=\frac{5}{4}$이므로

$$a+b=-1+\frac{5}{4}=\frac{1}{4}$$

7 $\frac{1}{4}x^2-x+\frac{1}{3}=0$의 양변에 12를 곱하면

$$3x^2-12x+4=0$$

$$\therefore x=\frac{-(-6)\pm\sqrt{(-6)^2-3\times4}}{3}$$

$$=\frac{6\pm\sqrt{24}}{3}=\frac{6\pm2\sqrt{6}}{3}$$

따라서 $a=6, \ b=6$이므로

$$ab=6\times6=36$$

8 공이 지면에 떨어질 때의 높이는 0 m이므로

$12t-3t^2=0$에서 $t^2-4t=0$

$t(t-4)=0 \qquad \therefore t=0$ 또는 $t=4$

이때 $t>0$이므로 $t=4$

따라서 쏘아 올린 공이 지면에 떨어질 때까지 걸리는 시간은 4초이다.

9 $f(1)=-1^2+1+5$

$$=-1+1+5=5$$

10 $y=x^2$의 그래프와 x축에 대칭인 그래프의 식은

$$y=-x^2$$

$y=-x^2$에 $x=-3, \ y=k$를 대입하면

$$k=-(-3)^2=-9$$

11 이차함수 $y=ax^2$의 그래프의 폭이 $y=-\frac{3}{5}x^2$의 그래프보다 좁고 $y=4x^2$의 그래프보다 넓으려면 $\left|-\frac{3}{5}\right|<|a|<|4|$이어야 하므로 조건을 만족하는 것은 ㉠, ㉢, ㉺이다.

12 ① 위로 볼록한 포물선이다.

② 축은 y축이다.

③ 꼭짓점의 좌표는 $(0, 2)$이다.

④ $y=-2x^2+2$의 그래프는 오른쪽 그림과 같으므로 모든 사분면을 지난다.

⑤ $y=-2x^2$의 그래프를 y축의 방향으로 2만큼 평행이동한 것이다.

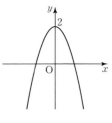

따라서 옳은 것은 ④이다.

14 $y=\frac{1}{3}x^2$의 그래프를 x축의 방향으로 2만큼, y축의 방향으로 -7만큼 평행이동한 그래프의 식은

$$y=\frac{1}{3}(x-2)^2-7$$

$y=\frac{1}{3}(x-2)^2-7$에 $x=a, \ y=5$를 대입하면

$$5=\frac{1}{3}(a-2)^2-7, \ (a-2)^2=36$$

$a-2=\pm6$ $\therefore a=-4$ 또는 $a=8$

이때 $a<0$이므로 $a=-4$

15 그래프가 위로 볼록하므로 $a<0$

꼭짓점 (p, q)가 제2사분면 위에 있으므로

$p<0$, $q>0$

16 $y=-3x^2+6x-1$

$\quad=-3(x^2-2x)-1$

$\quad=-3(x^2-2x+1-1)-1$

$\quad=-3(x^2-2x+1)+3-1$

$\quad=-3(x-1)^2+2$

따라서 그래프는 오른쪽 그림과

같으므로 제2사분면을 지나지 않는다.

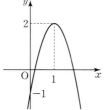

17 $y=3x^2+12x+8=3(x^2+4x)+8$

$\quad=3(x^2+4x+4-4)+8$

$\quad=3(x^2+4x+4)-12+8$

$\quad=3(x+2)^2-4$

따라서 $p=-2$, $q=-4$이므로

$p+q=-2+(-4)=-6$

18 $3x^2-8x-3=0$에서 $(3x+1)(x-3)=0$

$\quad\therefore x=-\dfrac{1}{3}$ 또는 $x=3$ ······ ㈎

$3x^2+10x+3=0$에서 $(3x+1)(x+3)=0$

$\quad\therefore x=-\dfrac{1}{3}$ 또는 $x=-3$ ······ ㈏

따라서 두 이차방정식의 공통인 해는 $x=-\dfrac{1}{3}$이다.

······ ㈐

채점 기준	비율
㈎ 이차방정식 $3x^2-8x-3=0$의 해 구하기	40 %
㈏ 이차방정식 $3x^2+10x+3=0$의 해 구하기	40 %
㈐ 답 구하기	20 %

19 x년 후에 아버지의 나이의 3배가 아들의 나이의 제곱과

같아진다고 하면

$3(44+x)=(8+x)^2$ ······ ㈎

$132+3x=64+16x+x^2$

$x^2+13x-68=0$, $(x+17)(x-4)=0$

$\therefore x=-17$ 또는 $x=4$ ······ ㈏

이때 $x>0$이므로 $x=4$

따라서 아버지의 나이의 3배가 아들의 나이의 제곱과 같

아지는 것은 4년 후이다.   ······ ㈐

채점 기준	비율
㈎ 이차방정식 세우기	40 %
㈏ 이차방정식 풀기	40 %
㈐ 답 구하기	20 %

20 $y=2x^2$의 그래프를 x축의 방향으로 3만큼 평행이동한

그래프의 식은 $y=2(x-3)^2$

$y=2(x-3)^2$에 $x=2$, $y=a$를 대입하면

$a=2\times(2-3)^2=2$ ······ ㈎

$y=-\dfrac{1}{2}x^2$의 그래프를 y축의 방향으로 b만큼 평행이동

한 그래프의 식은 $y=-\dfrac{1}{2}x^2+b$

$y=-\dfrac{1}{2}x^2+b$에 $x=-2$, $y=2$를 대입하면

$2=-\dfrac{1}{2}\times(-2)^2+b$

$2=-2+b$ $\therefore b=4$ ······ ㈏

$\therefore a+b=2+4=6$ ······ ㈐

채점 기준	비율
㈎ a의 값 구하기	40 %
㈏ b의 값 구하기	40 %
㈐ $a+b$의 값 구하기	20 %

1 ④	2 ⑤	3 ③	4 ③
5 ③	6 ③	7 ④	8 ②
9 ⑤	10 ③, ④	11 ④	12 ③
13 ②	14 ③, ④	15 ②	16 ③
17 ④	18 (1) 4 (2) $x=3$		19 $\dfrac{3}{2}$
20 0			

1 $(x-2)(x-3)=2$에서 $x^2-5x+6=2$
$x^2-5x+4=0$, $(x-1)(x-4)=0$
$\therefore x=1$ 또는 $x=4$

2 $x=4$를 $x^2-3x+a=0$에 대입하면
$4^2-3\times4+a=0$
$16-12+a=0$ $\therefore a=-4$
즉 주어진 이차방정식은 $x^2-3x-4=0$이므로
$(x+1)(x-4)=0$ $\therefore x=-1$ 또는 $x=4$
따라서 다른 한 근은 $x=-1$이므로
$x=-1$을 $2x^2-bx-6=0$에 대입하면
$2\times(-1)^2-b\times(-1)-6=0$
$2+b-6=0$ $\therefore b=4$
$\therefore b-a=4-(-4)=8$

3 ① $x^2-5x-14=0$에서 $(x+2)(x-7)=0$
   $\therefore x=-2$ 또는 $x=7$
② $3x^2+6x-9=0$에서 $x^2+2x-3=0$
   $(x+3)(x-1)=0$
   $\therefore x=-3$ 또는 $x=1$
③ $2x^2-8x+8=0$에서 $x^2-4x+4=0$
   $(x-2)^2=0$ $\therefore x=2$
④ $x^2+x-20=0$에서 $(x+5)(x-4)=0$
   $\therefore x=-5$ 또는 $x=4$
⑤ $9x^2-4=0$에서 $x^2=\dfrac{4}{9}$
   $\therefore x=\pm\dfrac{2}{3}$

따라서 중근을 갖는 것은 ③이다.

4 $\dfrac{1}{2}(x+7)^2=1$에서 $(x+7)^2=2$
$x+7=\pm\sqrt{2}$
$\therefore x=-7\pm\sqrt{2}$

5 $(x+3)(x+5)=7$에서 $x^2+8x+15=7$
$x^2+8x=-8$, $x^2+8x+16=-8+16$
$(x+4)^2=8$
따라서 $a=4$, $b=8$이므로
$b-a=8-4=4$

6 $x=\dfrac{-5\pm\sqrt{5^2-4\times3\times(-a)}}{2\times3}$
$=\dfrac{-5\pm\sqrt{25+12a}}{6}$
따라서 $25+12a=13$이므로
$12a=-12$ $\therefore a=-1$

7 $0.5x^2+\dfrac{3}{4}x+\dfrac{1}{6}=0$의 양변에 12를 곱하면
$6x^2+9x+2=0$
$\therefore x=\dfrac{-9\pm\sqrt{9^2-4\times6\times2}}{2\times6}$
$=\dfrac{-9\pm\sqrt{33}}{12}$
따라서 $a=12$, $b=-9$, $c=33$이므로
$a-b+c=12-(-9)+33=54$

8 연속하는 두 홀수를 x, $x+2$라고 하면
$x(x+2)=195$에서 $x^2+2x-195=0$
$(x+15)(x-13)=0$
$\therefore x=-15$ 또는 $x=13$
이때 x는 자연수이므로 $x=13$

따라서 연속하는 두 홀수는 13, 15이므로 그 합은
$13+15=28$

9 도로의 폭을 x m라고 하면
$(30-x)(24-x)=520$에서 $x^2-54x+720=520$
$x^2-54x+200=0$, $(x-4)(x-50)=0$
∴ $x=4$ 또는 $x=50$
이때 $0<x<24$이므로 $x=4$
따라서 도로의 폭은 4 m이다.

10 ① $y=4x$이므로 일차함수이다.
② $y=(x+4)^2-x^2=8x+16$이므로 일차함수이다.
③ $y=\dfrac{1}{4}\pi x^2$이므로 이차함수이다.
④ $y=6x^2$이므로 이차함수이다.
⑤ $y=25\pi x$이므로 일차함수이다.
따라서 이차함수인 것은 ③, ④이다.

11 ④ $y=-2x^2$의 그래프보다 폭이 좁다.

12 이차함수 $y=ax^2$의 그래프는 $y=\dfrac{1}{3}x^2$의 그래프보다 폭이 좁고 $y=2x^2$의 그래프보다 폭이 넓으므로
$\dfrac{1}{3}<a<2$
따라서 a의 값이 될 수 있는 것은 ③이다.

13 $y=\dfrac{1}{4}x^2$의 그래프와 x축에 대칭인 그래프의 식은
$y=-\dfrac{1}{4}x^2$
$y=-\dfrac{1}{4}x^2$에 $x=8$, $y=k$를 대입하면
$k=-\dfrac{1}{4}\times 8^2=-16$

14 ① 축의 방정식은 $x=3$이다.
② 꼭짓점의 좌표는 $(3, -2)$이다.
③ $\left|-\dfrac{1}{5}\right|<\left|\dfrac{1}{2}\right|$이므로 $y=-\dfrac{1}{5}x^2$의 그래프보다 폭이 좁다.
④ $y=\dfrac{1}{2}(x-3)^2-2$의 그래프는 오른쪽 그림과 같으므로 제1, 2, 4사분면을 지난다.

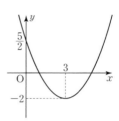

⑤ $x<3$일 때, x의 값이 증가하면 y의 값은 감소한다.
따라서 옳은 것은 ③, ④이다.

15 $y=-x^2$의 그래프를 x축의 방향으로 m만큼, y축의 방향으로 n만큼 평행이동한 그래프의 식은
$y=-(x-m)^2+n$
따라서 $m=2$, $n=-7$이므로
$m+n=2+(-7)=-5$

16 $y=\dfrac{1}{2}x^2-2x+1=\dfrac{1}{2}(x^2-4x)+1$
$\quad =\dfrac{1}{2}(x^2-4x+4-4)+1$
$\quad =\dfrac{1}{2}(x^2-4x+4)-2+1$
$\quad =\dfrac{1}{2}(x-2)^2-1$
따라서 그래프는 아래로 볼록하고, 꼭짓점의 좌표는 $(2, -1)$, y축과의 교점의 좌표는 $(0, 1)$이므로 ③이다.

17 그래프가 위로 볼록하므로 $a<0$
축이 y축의 오른쪽에 있으므로 a, b는 다른 부호이다.
∴ $b>0$
또 y축과의 교점이 x축의 아래쪽에 있으므로 $c<0$

18 (1) $9=\left\{\dfrac{-2(m-1)}{2}\right\}^2$에서 ······ (가)

$9=m^2-2m+1, \; m^2-2m-8=0$

$(m+2)(m-4)=0$

$\therefore m=-2$ 또는 $m=4$

이때 $m>0$이므로 $m=4$ ······ (나)

(2) $x^2-2(m-1)x+9=0$에 $m=4$를 대입하면

$x^2-6x+9=0$이므로

$(x-3)^2=0$ $\therefore x=3$ ······ (다)

채점 기준	비율
(가) 이차방정식이 중근을 가질 조건 알기	20 %
(나) 양수 m의 값 구하기	40 %
(다) 중근 구하기	40 %

19 $y=\dfrac{1}{2}x^2$의 그래프를 x축의 방향으로 2만큼, y축의 방향으로 1만큼 평행이동한 그래프의 식은

$y=\dfrac{1}{2}(x-2)^2+1$ ······ (가)

$y=\dfrac{1}{2}(x-2)^2+1$에 $x=3, \; y=a$를 대입하면

$a=\dfrac{1}{2}\times(3-2)^2+1=\dfrac{3}{2}$ ······ (나)

채점 기준	비율
(가) 평행이동한 그래프의 식 구하기	50 %
(나) a의 값 구하기	50 %

20 꼭짓점의 좌표가 $(1, 5)$이고 점 $(3, 0)$을 지나므로

$y=a(x-1)^2+5$로 놓고 ······ (가)

$x=3, \; y=0$을 대입하면

$0=4a+5, \; 4a=-5$ $\therefore a=-\dfrac{5}{4}$

$\therefore y=-\dfrac{5}{4}(x-1)^2+5$

$=-\dfrac{5}{4}x^2+\dfrac{5}{2}x+\dfrac{15}{4}$ ······ (나)

따라서 $a=-\dfrac{5}{4}, \; b=\dfrac{5}{2}, \; c=\dfrac{15}{4}$이므로

$a+2b-c=-\dfrac{5}{4}+2\times\dfrac{5}{2}-\dfrac{15}{4}=0$ ······ (다)

채점 기준	비율
(가) 이차함수의 식을 $y=a(x-p)^2+q$의 꼴로 놓기	20 %
(나) 이차함수의 식 구하기	60 %
(다) $a+2b-c$의 값 구하기	20 %

풀이

memo

핵심 정리 01 | 이차방정식의 뜻과 해

(1) **이차방정식** : 등식에서 우변의 모든 항을 좌변으로 이항하여 정리한 식이 (x에 대한 ❶ ☐)$=0$의 꼴로 나타나는 방정식

$$ax^2+bx+c=0 (단, a, b, c는 상수, a ❷ ☐ 0)$$

[예] $3x^2+4=2x^2+x$에서 $x^2-x+4=0$

→ 이차방정식

$4x^2-4=4x^2-3x-5$에서 $3x+1=0$

→ 일차방정식

이차방정식이 되려면 반드시 (이차항의 계수) $\neq 0$이어야 해.

(2) **이차방정식의 해(근)** : x에 대한 이차방정식을 ❸ ☐ 이 되게 하는 x의 값

답 ❶ 이차식 ❷ ≠ ❸ 참

핵심 정리 02 | 인수분해를 이용한 이차방정식의 풀이

(1) **$AB=0$의 성질** : 두 수 또는 두 식 A, B에 대하여 $AB=0$이면 $A=0$ 또는 ❶ ☐

(2) **인수분해를 이용한 이차방정식의 풀이**

① 주어진 이차방정식을 (x에 대한 ❷ ☐)$=0$의 꼴로 정리한다.

② 좌변을 ❸ ☐ 한다.

③ $AB=0$이면 $A=0$ 또는 $B=0$임을 이용하여 해를 구한다.

[예] 이차방정식 $x^2-5x+6=0$에서 좌변을 인수분해하면

$(x-2)(x-3)=0$

$x-2=0$ 또는 $x-3=0$

$\therefore x=2$ 또는 $x=3$

답 ❶ $B=0$ ❷ 이차식 ❸ 인수분해

핵심 정리 03 | 이차방정식의 중근

(1) **중근** : 이차방정식의 두 해가 중복일 때, 이 해를 주어진 이차방정식의 ❶ ☐ 이라고 한다.

→ $a(x-p)^2=0$ $\therefore x=$ ❷ ☐

(2) **이차방정식이 중근을 가질 조건**

① 이차방정식이 (완전제곱식)$=$ ❸ ☐ 의 꼴로 변형되면 이 이차방정식은 중근을 갖는다.

② 이차방정식 $x^2+ax+b=0$이 중근을 가지려면

$b=\left(❹ ☐ \right)^2$이어야 한다.

답 ❶ 중근 ❷ p ❸ 0 ❹ $\dfrac{a}{2}$

핵심 정리 04 | 제곱근을 이용한 이차방정식 풀이

(1) **이차방정식 $x^2=q(q>0)$의 해**

→ $x=\pm\sqrt{q}$

[예] $x^2-2=0$에서 $x^2=2$ $\therefore x=$ ❶ ☐

(2) **이차방정식 $(x-p)^2=q(q>0)$의 해**

→ $x-p=$ ❷ ☐ $\therefore x=p\pm\sqrt{q}$

[예] $(x-1)^2=3$에서 $x-1=$ ❸ ☐

$\therefore x=$ ❹ ☐

답 ❶ $\pm\sqrt{2}$ ❷ $\pm\sqrt{q}$ ❸ $\pm\sqrt{3}$ ❹ $1\pm\sqrt{3}$

예 1

이차방정식 $x(x-5)=0$을 풀면?

① $x=0$
② $x=0$ 또는 $x=5$
③ $x=5$
④ $x=0$ 또는 $x=-5$
⑤ $x=-5$

➡ $x(x-5)=0$에서 $x=0$ 또는 $x-5=0$

$\therefore x=\boxed{\text{❶}}$ 또는 $x=\boxed{\text{❷}}$

답 ❶ 0 ❷ 5

예 2

인수분해를 이용하여 다음 이차방정식을 푸시오.

$$x^2+12x+27=0$$

➡ $x^2+12x+27=0$에서 $(x+3)(x+9)=0$

$x+3=0$ 또는 $\boxed{\text{❶}\qquad}=0$

$\therefore x=-3$ 또는 $x=\boxed{\text{❷}}$

답 ❶ $x+9$ ❷ -9

예 1

다음 보기 중 x에 대한 이차방정식인 것을 모두 고르시오.

보기
㉠ $1-x^2=0$
㉡ $2x^2+3x=1-x^2$
㉢ $x^2-3=x(x-2)$
㉣ $\dfrac{1}{2}x^2+x=0$

➡ ㉡ $2x^2+3x=1-x^2$에서 $3x^2+3x-1=0$이므로 $\boxed{\text{❶}\qquad}$ 방정식이다.

㉢ $x^2-3=x(x-2)$에서 $x^2-3=x^2-2x$,

즉 $2x-3=0$이므로 $\boxed{\text{❷}\qquad}$ 방정식이다.

따라서 이차방정식인 것은 ㉠, ㉡, ㉣이다.

답 ❶ 이차 ❷ 일차

예 1

제곱근을 이용하여 다음 이차방정식을 푸시오.

(1) $4x^2=9$
(2) $3x^2-21=0$
(3) $(x-2)^2=8$
(4) $2(x+3)^2=10$

➡ (1) $4x^2=9$에서 $x^2=\dfrac{9}{4}$ $\qquad \therefore x=\boxed{\text{❶}}$

(2) $3x^2-21=0$에서 $3x^2=21$

$x^2=7$ $\quad \therefore x=\boxed{\text{❷}}$

(3) $(x-2)^2=8$에서 $x-2=\boxed{\text{❸}}$

$\therefore x=2\pm2\sqrt{2}$

(4) $2(x+3)^2=10$에서 $(x+3)^2=5$

$x+3=\pm\sqrt{5}$ $\quad \therefore x=\boxed{\text{❹}}$

답 ❶ $\pm\dfrac{3}{2}$ ❷ $\pm\sqrt{7}$ ❸ $\pm2\sqrt{2}$ ❹ $-3\pm\sqrt{5}$

예 1

다음 이차방정식이 중근을 가질 때, 상수 k의 값을 구하시오.

(1) $x^2+4x+k=0$
(2) $x^2+kx+25=0$

➡ (1) $k=\left(\dfrac{\boxed{\text{❶}}}{2}\right)^2=4$

(2) $25=\left(\dfrac{k}{2}\right)^2$, $\dfrac{k^2}{4}=25$

$k^2=100$ $\quad \therefore k=\boxed{\text{❷}}$

답 ❶ 4 ❷ ±10

핵심 정리 05 완전제곱식을 이용한 이차방정식의 풀이

이차방정식 $ax^2+bx+c=0(a\neq0)$의 좌변이 인수분해되지 않을 때에는 완전제곱식의 꼴로 변형하여 해를 구할 수 있다.

① 양변을 이차항의 계수로 나누어 이차항의 계수를 $\boxed{①}$로 만든다.

② 상수항을 우변으로 이항한다.

③ 양변에 $\left(\dfrac{x의\ 계수}{\boxed{②}}\right)^2$을 더한다.

④ 좌변을 $\boxed{③}$으로 고친다.

⑤ 제곱근을 이용하여 해를 구한다.

[예] $2x^2-8x+2=0$에서 $x^2-4x+1=0$

$x^2-4x=-1,\ x^2-4x+4=-1+4$

$(x-2)^2=3,\ x-2=\pm\sqrt{3}$

$\therefore x=2\pm\sqrt{3}$

답 ① 1 ② 2 ③ 완전제곱식

핵심 정리 06 이차방정식의 근의 공식

이차방정식 $ax^2+bx+c=0(a\neq0)$의 해는

$$x=\frac{\boxed{①}\pm\sqrt{b^2-\boxed{②}}}{2a}$$

(단, $b^2-4ac\geq0$)

[참고] 이차방정식 $ax^2+2b'x+c=0$의 해는

$$x=\frac{-b'\pm\sqrt{b'^2-\boxed{③}}}{\boxed{④}}$$ (단, $b'^2-ac\geq0$)

짝수 공식을 이용하면 약분하는 과정을 줄일 수 있어서 계산이 편리해.

답 ① $-b$ ② $4ac$ ③ ac ④ a

핵심 정리 07 이차함수의 뜻

(1) **이차함수** : 함수 $y=f(x)$에서 y가 x에 대한 이차식으로 나타내어질 때, 이 함수를 x에 대한 $\boxed{①}$라고 한다.

$$y=ax^2+bx+c$$
(단, $a,\ b,\ c$는 상수, $a\boxed{②}0$)

[예] $y=x^2-x+1,\ f(x)=-2x^2+x$ ➡ 이차함수

$y=x-1,\ y=\dfrac{3}{x^2}$ ➡ 이차함수가 아니다.

(2) **이차함수의 함숫값** : 이차함수 $y=f(x)$에서 x의 값이 정해지면 그에 따라 정해지는 $\boxed{③}$의 값을 함숫값이라고 한다.

답 ① 이차함수 ② $\neq$ ③ y

핵심 정리 08 이차함수 $y=x^2$, $y=-x^2$의 그래프

(1) **이차함수 $y=x^2$의 그래프**

① 원점을 지나고 $\boxed{①}$로 볼록한 곡선

② y축에 대칭

③ $x<0$일 때, x의 값이 증가하면 y의 값은 $\boxed{②}$

$x>0$일 때, x의 값이 증가하면 y의 값도 증가

(2) **이차함수 $y=-x^2$의 그래프**

① 원점을 지나고 $\boxed{③}$로 볼록한 곡선

② y축에 대칭

③ $x<0$일 때, x의 값이 증가하면 y의 값도 $\boxed{④}$

$x>0$일 때, x의 값이 증가하면 y의 값은 감소

④ $y=x^2$의 그래프와 $\boxed{⑤}$에 대칭

답 ① 아래 ② 감소 ③ 위 ④ 증가 ⑤ x축

예1

근의 공식을 이용하여 다음 이차방정식을 푸시오.

$$3x^2 - 2x - 2 = 0$$

→ $a = 3, b = -2, c = -2$이므로

$$x = \frac{-(-2) \pm \sqrt{(-2)^2 - \boxed{❶} \times 3 \times (-2)}}{2 \times \boxed{❷}}$$

$$= \frac{2 \pm \boxed{❸}\sqrt{7}}{6}$$

$$= \frac{\boxed{❹}}{3}$$

답 ❶4 ❷3 ❸2 ❹$1 \pm \sqrt{7}$

예1

완전제곱식을 이용하여 다음 이차방정식을 푸시오.

$$2x^2 - 12x + 8 = 0$$

→ 양변을 2로 나누면

$x^2 - 6x + 4 = 0$

상수항을 우변으로 이항하면

$x^2 - 6x = -4$

양변에 $\left(\dfrac{x의\ 계수}{\boxed{❶}}\right)^2$을 더하면

$x^2 - 6x + \boxed{❷} = -4 + \boxed{❷}$

좌변을 완전제곱식으로 고치면

$(x-3)^2 = \boxed{❸}$

제곱근을 이용하여 해를 구하면

$x - 3 = \boxed{❹}$ ∴ $x = \boxed{❺}$

답 ❶2 ❷9 ❸5 ❹$\pm\sqrt{5}$ ❺$3\pm\sqrt{5}$

예1

다음 중 옳지 <u>않은</u> 것을 모두 고르면? (정답 2개)

① $y = x^2$의 그래프는 원점을 지난다.

② $y = x^2$의 그래프는 x축에 대칭이다.

③ $y = -x^2$의 그래프는 위로 볼록한 곡선이다.

④ $x > 0$일 때, $y = -x^2$의 그래프는 x의 값이 증가하면 y의 값도 증가한다.

⑤ $y = x^2$의 그래프와 $y = -x^2$의 그래프는 x축에 대칭이다.

→ ② $y = x^2$의 그래프는 $\boxed{❶}$축에 대칭이다.

④ $x > 0$일 때, $y = -x^2$의 그래프는 x의 값이 증가하면 y의 값은 $\boxed{❷}$한다.

따라서 옳지 않은 것은 ②, ④이다.

답 ❶y ❷감소

예1

다음 **보기** 중 이차함수인 것을 고르시오.

보기

ㄱ $y = 2x + 1$ ㄴ $y = -3x(2-x)$
ㄷ $y = x^2 - (x + x^2)$ ㄹ $3x^2 + 2x + 1$

→ ㄴ $y = -3x(2-x) = -6x + 3x^2$이므로 $\boxed{❶}$함수이다.

ㄷ $y = x^2 - (x + x^2) = -x$이므로 $\boxed{❷}$함수이다.

ㄹ 이차식이다.

따라서 이차함수인 것은 ㄴ이다.

답 ❶이차 ❷일차

핵심 정리 09 이차함수 $y=ax^2$의 그래프

(1) 원점을 꼭짓점으로 하고, y축을 축으로 하는 포물선

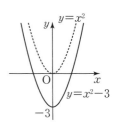

① 꼭짓점의 좌표 :
   $(0, \boxed{①})$
② 축의 방정식 : $x=0\,(y$축$)$

(2) $a>0$이면 $\boxed{②}$ 로 볼록
   $a<0$이면 위로 볼록

(3) a의 절댓값이 클수록 그래프의 폭이 $\boxed{③}$ 지고,
   a의 절댓값이 작을수록 그래프의 폭이 넓어진다.

나의 절댓값이 클수록 폭이 좁아.

나의 절댓값이 작을수록 폭이 넓어.

(4) 이차함수 $y=-ax^2$의 그래프와 x축에 대칭

답 ① 0 ② 아래 ③ 좁아

핵심 정리 10 이차함수 $y=ax^2+q$의 그래프

(1) 이차함수 $y=ax^2$의 그래프를 $\boxed{①}$ 축의 방향으로 $\boxed{②}$ 만큼 평행이동한 것

$$y=ax^2 \xrightarrow[q\text{만큼 평행이동}]{y\text{축의 방향으로}} y=ax^2+q$$

(2) **꼭짓점의 좌표** : $(0, \boxed{③})$

(3) **축의 방정식** : $x=\boxed{④}$ $(y$축$)$

예 이차함수 $y=x^2-3$의 그래프는 이차함수 $y=x^2$의 그래프를 y축의 방향으로 -3만큼 평행이동한 것이다.
  ① 꼭짓점의 좌표 : $(0, -3)$
  ② 축의 방정식 : $x=0\,(y$축$)$

답 ① y ② q ③ q ④ 0

핵심 정리 11 이차함수 $y=a(x-p)^2$의 그래프

(1) 이차함수 $y=ax^2$의 그래프를 $\boxed{①}$ 축의 방향으로 $\boxed{②}$ 만큼 평행이동한 것

$$y=ax^2 \xrightarrow[p\text{만큼 평행이동}]{x\text{축의 방향으로}} y=a(x-p)^2$$

(2) **꼭짓점의 좌표** : $(\boxed{③}, 0)$

(3) **축의 방정식** : $x=\boxed{④}$

예 이차함수 $y=(x-3)^2$의 그래프는 이차함수 $y=x^2$의 그래프를 x축의 방향으로 3만큼 평행이동한 것이다.

  ① 꼭짓점의 좌표 : $(3, 0)$
  ② 축의 방정식 : $x=3$

답 ① x ② p ③ p ④ p

핵심 정리 12 이차함수 $y=a(x-p)^2+q$의 그래프

(1) 이차함수 $y=ax^2$의 그래프를 x축의 방향으로 $\boxed{①}$ 만큼, y축의 방향으로 $\boxed{②}$ 만큼 평행이동한 것

$$y=ax^2 \xrightarrow[y\text{축의 방향으로 }q\text{만큼 평행이동}]{x\text{축의 방향으로 }p\text{만큼,}} y=a(x-p)^2+q$$

(2) **꼭짓점의 좌표** : $(\boxed{③}, \boxed{④})$

(3) **축의 방정식** : $x=\boxed{⑤}$

예 이차함수 $y=(x-3)^2+2$의 그래프는 이차함수 $y=x^2$의 그래프를 x축의 방향으로 3만큼, y축의 방향으로 2만큼 평행이동한 것이다.

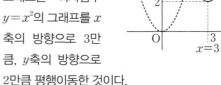

  ① 꼭짓점의 좌표 : $(3, 2)$
  ② 축의 방정식 : $x=3$

답 ① p ② q ③ p ④ q ⑤ p

예1

다음 중 이차함수 $y=-3x^2+4$의 그래프에 대한 설명으로 옳지 <u>않은</u> 것을 모두 고르면? (정답 2개)

① $y=-3x^2$의 그래프를 y축의 방향으로 4만큼 평행이동한 것이다.

② 꼭짓점의 좌표는 $(-3, 4)$이다.

③ 축의 방정식은 $x=4$이다.

④ 위로 볼록한 포물선이다.

⑤ $x>0$일 때, x의 값이 증가하면 y의 값은 감소한다.

→ ② 꼭짓점의 좌표는 ($\boxed{❶}$, 4)이다.

　 ③ 축의 방정식은 $x=\boxed{❷}$ 이다.

　 따라서 옳지 않은 것은 ②, ③이다.

답 ❶ 0 ❷ 0

예1

아래 보기 의 이차함수에 대하여 다음을 구하시오.

보기
$$㉠\ y=-3x^2 \qquad ㉡\ y=\frac{4}{3}x^2 \qquad ㉢\ y=3x^2$$
$$㉣\ y=-\frac{4}{3}x^2 \qquad ㉤\ y=4x^2 \qquad ㉥\ y=-2x^2$$

(1) 위로 볼록한 그래프

(2) 폭이 가장 좁은 그래프

(3) x축에 서로 대칭인 그래프

→ (1) x^2의 계수가 $\boxed{❶}$ 이면 그래프가 위로 볼록하므로 ㉠, ㉣, ㉥이다.

　 (2) x^2의 계수의 절댓값이 $\boxed{❷}$ 그래프의 폭이 좁으므로 ㉤이다.

　 (3) x^2의 계수의 절댓값이 같고 부호가 달라야 하므로 ㉠과 $\boxed{❸}$, $\boxed{❹}$ 과 ㉣이다.

답 ❶ 음수 ❷ 클수록 ❸ ㉢ ❹ ㉡

예1

다음 중 이차함수 $y=-2(x+1)^2+3$의 그래프에 대한 설명으로 옳은 것을 모두 고르면? (정답 2개)

① $y=-2x^2$의 그래프를 x축의 방향으로 1만큼, y축의 방향으로 3만큼 평행이동한 것이다.

② 꼭짓점의 좌표는 $(1, 3)$이다.

③ 축의 방정식은 $x=1$이다.

④ 위로 볼록한 포물선이다.

⑤ $x<-1$일 때, x의 값이 증가하면 y의 값도 증가한다.

→ ① $y=-2x^2$의 그래프를 x축의 방향으로 $\boxed{❶}$ 만큼, y축의 방향으로 3만큼 평행이동한 것이다.

　 ② 꼭짓점의 좌표는 ($\boxed{❷}$, 3)이다.

　 ③ 축의 방정식은 $x=\boxed{❸}$ 이다.

　 따라서 옳은 것은 ④, ⑤이다.

답 ❶ -1 ❷ -1 ❸ -1

예1

다음 중 이차함수 $y=(x+5)^2$의 그래프에 대한 설명으로 옳지 <u>않은</u> 것을 모두 고르면? (정답 2개)

① $y=x^2$의 그래프를 x축의 방향으로 5만큼 평행이동한 것이다.

② 꼭짓점의 좌표는 $(5, 0)$이다.

③ 축의 방정식은 $x=-5$이다.

④ 아래로 볼록한 포물선이다.

⑤ $x<-5$일 때, x의 값이 증가하면 y의 값은 감소한다.

→ ① $y=x^2$의 그래프를 x축의 방향으로 $\boxed{❶}$ 만큼 평행이동한 것이다.

　 ② 꼭짓점의 좌표는 ($\boxed{❷}$, 0)이다.

　 따라서 옳지 않은 것은 ①, ②이다.

답 ❶ -5 ❷ -5

핵심 정리 13 | 이차함수 $y=a(x-p)^2+q$의 그래프에서 a, p, q의 부호

(1) a의 부호 : 그래프의 모양으로 결정
   ① 아래로 볼록 ➡ a ❶⬜ 0
   ② 위로 볼록 ➡ $a<0$

(2) p, q의 부호 : 꼭짓점 (p, q)가 제몇 사분면 위에 있는지 확인하여 결정

제1사분면	제2사분면
$p>0, q>0$	p ❷⬜ $0, q>0$
제3사분면	제4사분면
$p<0, q$ ❸⬜ 0	$p>0, q<0$

답 ❶ > ❷ < ❸ <

핵심 정리 14 | 이차함수 $y=ax^2+bx+c$의 그래프

이차함수 $y=ax^2+bx+c$의 그래프는
$y=a(x-p)^2+q$의 꼴로 고쳐서 그릴 수 있다.

예 이차함수 $y=x^2-4x+3$의 그래프를 그려 보자.
$$y=x^2-4x+3$$
$$=(x^2-4x+4-4)+3$$
$$=(x^2-4x+4)-1$$
$$=(x-2)^2-1$$

① 꼭짓점의 좌표 : (❶⬜)
② 축의 방정식 : $x=$ ❷⬜
③ y축과의 교점의 좌표 : (❸⬜)

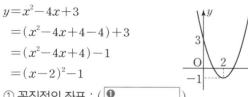

식의 꼴을 바꾸면 그래프를 쉽게 그릴 수 있어.

답 ❶ 2, -1 ❷ 2 ❸ 0, 3

핵심 정리 15 | 이차함수 $y=ax^2+bx+c$의 그래프에서 a, b, c의 부호

(1) a의 부호 : 그래프의 모양으로 결정
   ① 아래로 볼록 ➡ $a>0$
   ② 위로 볼록 ➡ a ❶⬜ 0

(2) b의 부호 : 축의 위치로 결정
   ① 축이 y축의 왼쪽 ➡ a, b는 ❷⬜ 부호
   ② 축이 y축과 일치 ➡ $b=0$
   ③ 축이 y축의 오른쪽 ➡ a, b는 ❸⬜ 부호

(3) c의 부호 : y축과의 교점의 위치로 결정
   ① y축과의 교점이 x축의 위쪽 ➡ $c>0$
   ② y축과의 교점이 원점 ➡ c ❹⬜ 0
   ③ y축과의 교점이 x축의 아래쪽 ➡ $c<0$

답 ❶ < ❷ 같은 ❸ 다른 ❹ =

핵심 정리 16 | 이차함수의 식 구하기

(1) **꼭짓점의 좌표 (p, q)와 다른 한 점의 좌표를 알 때**
   ① 이차함수의 식을 $y=a(x-$ ❶⬜ $)^2+$ ❷⬜ 로 놓는다.
   ② ①의 식에 한 점의 좌표를 대입하여 a의 값을 구한다.

(2) **축의 방정식 $x=p$와 서로 다른 두 점의 좌표를 알 때**
   ① 이차함수의 식을 $y=a(x-$ ❸⬜ $)^2+q$로 놓는다.
   ② ①의 식에 주어진 두 점의 좌표를 각각 대입한다.
   ③ ②의 연립방정식을 풀어 a, q의 값을 구한다.

(3) **서로 다른 세 점의 좌표를 알 때**
   ① 이차함수의 식을 $y=$ ❹⬜ 로 놓는다.
   ② x좌표가 0인 점이 있으면 그 점의 좌표를 먼저 대입하여 c의 값을 구한다.
   ③ 나머지 두 점을 대입하여 a, b의 값을 구한다.

답 ❶ p ❷ q ❸ p ❹ ax^2+bx+c

예 1

다음 중 이차함수 $y=3x^2-6x+1$의 그래프에 대한 설명으로 옳은 것은?

① 축의 방정식은 $x=2$이다.

② 제1, 2, 4사분면을 지난다.

③ 꼭짓점의 좌표는 $(2, -1)$이다.

④ y축과의 교점의 좌표는 $(1, 0)$이다.

⑤ $x<1$일 때, x의 값이 증가하면 y의 값도 증가한다.

➡ $y=3x^2-6x+1$

　　$=3(x-\boxed{❶})^2-\boxed{❷}$

　① 축의 방정식은 $x=1$이다.

　③ 꼭짓점의 좌표는 $(1, -2)$이다.

　④ $y=3x^2-6x+1$에 $x=0$을

　　대입하면 $y=1$

　　즉 y축과의 교점의 좌표는 $(\boxed{❸})$이다.

　⑤ $x<1$일 때, x의 값이 증가하면 y의 값은 감소한다.

따라서 옳은 것은 ②이다.

답 ❶ 1 ❷ 2 ❸ 0, 1

예 1

이차함수 $y=a(x-p)^2+q$의 그래프가 오른쪽 그림과 같을 때, a, p, q의 부호를 구하시오.

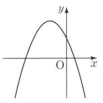

➡ 그래프가 위로 볼록하므로

　　$a\boxed{❶}0$

　　꼭짓점의 좌표는 (p, q)이고 제2사분면 위에 있으므로

　　$p<0$, $q\boxed{❷}0$

답 ❶ < ❷ >

예 1

다음과 같은 포물선을 그래프로 하는 이차함수의 식을 $y=ax^2+bx+c$의 꼴로 나타내시오.

(1) 꼭짓점의 좌표가 $(2, 5)$이고 점 $(1, 1)$을 지나는 포물선

(2) 축의 방정식이 $x=-1$이고 두 점 $(1, 2)$, $(-2, -1)$을 지나는 포물선

➡ (1) $y=a(x-2)^2+\boxed{❶}$로 놓고

　　$x=1$, $y=1$을 대입하면

　　$1=a+5$　　∴ $a=-4$

　　∴ $y=-4(x-2)^2+5=-4x^2+16x-11$

　(2) $y=a(x+\boxed{❷})^2+q$로 놓고 두 점 $(1, 2)$, $(-2, -1)$의 좌표를 대입하여 풀면

　　$a=1$, $q=-2$

　　∴ $y=(x+1)^2-2=x^2+2x-1$

답 ❶ 5 ❷ 1

예 1

이차함수 $y=ax^2+bx+c$의 그래프가 오른쪽 그림과 같을 때, a, b, c의 부호를 구하시오.

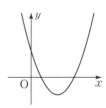

➡ 그래프가 아래로 볼록하므로 $a\boxed{❶}0$

　　축이 y축의 오른쪽에 있으므로 a, b는 다른 부호이다.　　∴ $b\boxed{❷}0$

　　y축과의 교점이 x축의 위쪽에 있으므로 $c\boxed{❸}0$

그래프의 모양으로 결정

y축과의 교점의 위치로 결정

축의 위치로 결정

답 ❶ > ❷ < ❸ >

미래를 바꾸는
긍정의 한마디

좋은 사람을 보면 그를 본보기로 삼아 모방하려 노력하고, 나쁜 사람을 보면 내게도 그런 흠이 있나 찾아보라.

공자(孔子)

현명한 사람은 자신을 비롯해 주변에 있는 모든 사람의 가치를

발견한다고 합니다. 어떤 사람에게서든 배울 점이 있다고 생각하기 때문이죠.

누군가의 행동을 본받거나 반면교사로 삼아

여러분의 가치를 더욱더 빛나게 해 보세요.

주변의 모든 사람이 곧 나의 선생님이니까요.

주변 사람은 나를 비추는 거울임을 잊지 마세요.

book.chunjae.co.kr

교재 내용 문의 ···················· 교재 홈페이지 ▶ 중등 ▶ 교재상담

교재 내용 외 문의 ···················· 교재 홈페이지 ▶ 고객센터 ▶ 1:1문의

발간 후 발견되는 오류 ·············· 교재 홈페이지 ▶ 중등 ▶ 학습지원 ▶ 학습자료실